Joachim Stuhlmacher

Das große Handbuch
der chinesischen Naturheilkunde

Wichtiger Hinweis des Verlages

Die in diesem Buch vorgestellten Informationen sind sorgfältig recherchiert und wurden nach bestem Wissen und Gewissen weitergegeben. Dennoch übernehmen Autor und Verlag keinerlei Haftung für Schäden irgendeiner Art, die direkt oder indirekt aus der Anwendung oder Verwendung der Angaben in diesem Buch entstehen. Die Informationen in diesem Buch sind für Interessierte und zur Weiterbildung gedacht.

Der Autor

Joachim Stuhlmacher ist Jahrgang 1961. Seit 1990 Lehrer für Taijiquan und Qigong, Fortbildung in medizinischem Qigong an der Sporthochschule Peking und in der Qigong-Klinik Beidaihe, China. Zweijährige Ausbildung in Chinesischer Medizin. Ernährungsberater nach der TCM, Chinesische Massage.

1. Auflage 1998
© 1998 by Windpferd Verlagsgesellschaft mbH, Aitrang
Alle Rechte vorbehalten
Umschlaggestaltung: Kuhn Grafik, Digitales Design,
                    Zürich, unter Verwendung einer Fotografie
                    von Stefan Schöning
Lektorat: Ilona Daiker
Fotografien: Stefan Schöning
Illustrationen: Peter Ehrhardt (Meridianzeichnungen)
Gestaltung: Peter Krafft Designagentur, Freiburg
Satz: DER UEBEL, Sulzburg
Gesamtherstellung: Schneelöwe, Aitrang

ISBN 3-89385-233-6

Printed in Germany

Joachim Stuhlmacher

Das große Handbuch
der chinesischen Naturheilkunde

Ein umfassendes und praktisches Anleitungsbuch

Grundlagen, Diagnosen und Therapien
sowie Kräuterkunde, Akupunktur, Ernährungslehre,
Massage und Qi Gong

WINDPFERD

 DAS DAO WURDE VON DEN WEISEN BEFOLGT, von den Unwissenden aber befürwortet, jedoch nicht praktiziert. Wenn man die Gesetze von Yin und Yang befolgt, bedeutet dies Leben; Nichtbefolgen bedeutet den Tod. Die Befolgung der Gesetzmäßigkeiten von Yin und Yang wird Frieden bringen; die Nichtbefolgung beinhaltet Chaos und Untergang. Alles, was der Harmonie mit der Natur entgegensteht, bedeutet Nichtbefolgung und beinhaltet einen Aufstand gegen die Natur. Deshalb haben die Weisen auch nicht die behandelt, die bereits erkrankt waren, sondern sich auf die Unterweisung derjenigen beschränkt, die noch gesund waren. Sie wollten nämlich nur jene unterweisen, die der Natur keinen Widerstand entgegensetzten. Dies ist die wahre Bedeutung des vorher Gesagten. Medikamente zu verabreichen für Krankheiten, die bereits aufgetreten sind, und Aufstände zu unterdrücken, die bereits ausgebrochen sind, kann man mit dem Verhalten solcher Leute vergleichen, die erst dann ein Brunnenloch graben, nachdem sie bereits durstig geworden sind; ein solches Verhalten ist vergleichbar mit dem, wenn man erst Waffen herstellt, nachdem die Schlacht bereits ausgebrochen ist. Ist es nicht so, daß solche Reaktionen dann zu spät sind?

Huangdi Neijing, Kapitel 2,
Übersetzung von Wolfgang G. A. Schmidt

Inhalt

Die große Unterweisung 138

Vorwort des Autors

Die Verbreitung der Chinesischen Medizin hat in den letzten Jahren im Westen immens zugenommen, und da wundert es nicht, daß auch viele Bücher zu diesem Thema oder zu Teilaspekten dieser großen medizinischen Tradition erschienen sind. Die meisten dieser Bücher sind zwar fachlich gut, wenden sich aber eher an Fachleute oder doch zumindest an Menschen, die sich bereits intensiv mit Teilen dieser Medizin beschäftigen. Andere wiederum greifen nur einzelne Teile der Chinesischen Medizin unter dem Aspekt der Selbsthilfe heraus, ohne das notwendige Hintergrundwissen zu vermitteln.

Mein Anliegen ist es, das System der Chinesischen Medizin in diesem Buch für interessierte Laien und Patienten so umfassend wie nötig und gleichzeitig so leicht verständlich wie möglich darzustellen. Denn wenn sich die Chinesische Medizin zum Wohle der Patienten auch bei uns wirklich durchsetzen soll, dann ist es unumgänglich, eben diesen Patienten auch mehr Informationen über dieses faszinierende medizinische System zugänglich zu machen. Sie, liebe Leserinnen und Leser, die Patienten, sollen sich selbst ein Bild davon machen können, was die Chinesische Medizin kann und was nicht.

Wie Sie dem Zitat aus dem »Huangdi Neijing«, dem »Klassiker des Gelben Kaisers zur Inneren Medizin«, entnehmen können, das ich diesem Buch sozusagen als Motto vorangestellt habe, spielt Vorbeugung in der Chinesischen Medizin eine sehr große Rolle. Insbesondere der erste Teil dieses Buch enthält viele Hinweise zur allgemeinen Lebensführung und zur Gesundheitsvorsorge sowie zur daoistischen Lebensphilosophie. Meines Erachtens ist dieser Aspekt mit das Wichtigste, was die Chinesische Medizin uns zu bieten hat, weil es für jeden von uns möglich ist, ihn auf seine persönliche Weise in seine Lebenspraxis umzusetzen.

Da die Chinesische Medizin sowohl Verfahren beinhaltet, die jeder im Rahmen der Selbsthilfe oder Gesundheitsvorsorge selbst ausführen kann, als auch solche, die dem professionellen Behandler vorbehalten bleiben, enthält dieses Buch Anleitungen und Tips, anhand derer Sie diese Medizin ganz praktisch kennenlernen und erfahren können, sowie Informationen darüber, was Sie erwartet, wenn Sie sich in eine Praxis für Chinesische Medizin begeben. Neben der notwendigen Theorie finden Sie auch immer wieder praktische Beispiele, Übungen, Regeln und Rezepte, die Ihnen die Möglichkeit geben, selbst zu erleben, wie die Chinesische Medizin funktioniert und wie wirkungsvoll sie ist.

Nach reiflicher Überlegung habe ich mich entschieden, den theoretischen Teil dieses Buches doch recht umfangreich zu gestalten. Es ist aber durchaus möglich, sich direkt in die Praxis zu begeben und mit den Kapiteln über Massage, Ernährung oder Qigong zu beginnen, in denen der Schwerpunkt auf der Vermittlung von Übungen oder Tips für den Alltag liegt.

Um diese Praxis allerdings wirklich zu verstehen, ist eine Auseinandersetzung mit der chinesischen Denkweise unumgänglich, und ich möchte Ihnen deshalb in jedem Fall empfehlen, dies zumindest nach und nach anzugehen. Denjenigen, die sich vor der grauen Theorie fürchten, sei versichert, daß auch in den Kapiteln über die Konzepte der Chinesischen Medizin immer wieder praktische Bezüge zum Alltag hergestellt werden, die der Theorie Farbe verleihen.

Zwischendurch war es leider unumgänglich, im Text vorzugreifen und Begriffe zu verwenden, die erst an späterer Stelle genauer eingeführt oder erklärt werden. Bei Verständnisproblemen können Sie jedoch jederzeit das Glossar im Anhang des Buches konsultieren und dann mit dem Text fortfahren. Unter »Adressen und Bezugsquellen« finden Sie außerdem den Hinweis auf Berufsverbände, Kliniken und andere Institutionen, die Ihnen bei der Suche nach weiteren Informationen über die Chinesische Medizin bzw. über Behandlungsmöglichkeiten in Ihrer Nähe weiterhelfen können. Die Literaturliste im Anhang schließlich enthält Tips zum Weiterlesen.

Wenn man ein so umfassendes Thema wie die Chinesische Medizin leicht verständlich, möglichst einfach und nachvollziehbar darstellen möchte, bleibt es leider nicht aus, hier und da zu vereinfachen. Solche Vereinfachungen werden manchmal dem komplexen Gegenstand, den es zu beschreiben gilt, nicht voll und ganz gerecht. Diejenigen unter Ihnen, die sich schon intensiver mit Chinesischer Medizin beschäftigt haben, mögen mir solche unumgänglichen »Unschärfen« nachsehen.

Ich wünsche Ihnen eine interessante und aufschlußreiche Reise durch eine für uns doch sehr fremdartige Medizinwelt. Mögen diese Zeilen dazu beitragen, daß sich die Chinesische Medizin auch bei uns neben unserer Schulmedizin etablieren kann, damit wir, die Patienten, bestens behandelt und von Beschwerden und Leiden geheilt werden können. Aus eigener Erfahrung kann ich Ihnen versichern, daß die Chinesische Medizin und die ihr zugrunde liegende Philosophie es wert sind, sich näher und ausführlicher mit ihnen zu befassen.

Joachim Stuhlmacher
Juni 1998

Vorwort

Ein grosses Viereck hat keine Ecken.
Ein grosses Werk ist nie vollendet.
Ein grosser Ruf entsteht aus einem Flüstern.
Und die Grösste aller Formen ist jenseits von Gestalt.
Laozi

Nach jahrelangem Suchen einer geeigneten Therapie, die meine Migräne zumindest lindern würde, kam ich vor zwei Jahren mit der Chinesischen Medizin in Berührung. Vier Wochen intensive Behandlung mit Kräutermedizin, Akupunktur, chin. Massage, Ernährung und Qigong verbesserten meine Beschwerden um weit mehr als die Hälfte. Ich war begeistert. Vor allem auch deswegen, weil die CM Körper, Geist und Seele umfasst. Nichts wird vernachlässigt oder überbewertet. Eine Wohltat nach den vielen, erfolglosen Versuchen, die ich hinter mir hatte, als ganzheitlicher Mensch gesehen und behandelt zu werden. Meine Körpergeistseele oder Geistseelekörper war aus dem Gleichgewicht geraten und die CM konnte mir helfen, meine Harmonie wieder herzustellen, und bis heute in Harmonie zu bleiben.

Zu meinem grossen Glück kam noch, daß ich zur selben Zeit Joachim Stuhlmacher kennenlernte. In ihm fand ich einen wunderbaren Menschen und Lehrer der CM und des Dao. Mit seinem fundierten Wissen über die CM, seinem Geist und seiner Seele hat er mir die CM nahegebracht und meine Sinne dafür und für mich selber geweckt. In einer ganz besonderen Art gibt er sein Wissen und seine Erfahrungen weiter. Er ist Lehrer und Schüler zugleich, eine Gabe, die den Umgang mit ihm in seinen Kursen, Seminaren und im privaten Bereich zu etwas Außergewöhnlichem und Wertvollem macht. Sein Denken drängt ins Bewußtsein und ins Unterbewußte. Seine Sprache ist einfach und verständlich. Davon profitieren Einsteiger als auch Menschen, die sich schon länger mit der CM befassen.

Ich wünsche den Lesern dieses Buches, daß sie die Begeisterung des Autors empfinden und den Weg der CM ausprobieren und gehen. Dies kann eine Bereicherung für das ganze Leben sein.

Joachim Stuhlmacher, dem Autor und Lehrer, wünsche ich viele aufmerksame Leser und Schüler, die seine Worte verstehen, sein Wissen erlernen und weitergeben mögen.

Evi Gebhard
Nürnberg, Herbst 1997

Danksagung

Danken möchte ich meinen Ausbildern von der »Arbeitsgemeinschaft für Klassische Akupunktur und Traditionelle Chinesische Medizin«, die mir die Grundlagen dieser faszinierenden Medizin vermittelten, sowie Barbara Kirschbaum und Walter Geiger, die mir einen Einblick in die chinesische Kräuterheilkunde gewährten.

Zu Dank verpflichtet bin ich all meinen Qigong- und Taijilehrern, die mich über viele Jahre langsam aber sicher in das chinesische Denken und die entsprechenden Lebensphilosophien einführten. Besonders danken möchte ich Herrn Yürgen Oster, Meister William C. C. Chen und seinem Schüler Luis Molera, Frau Dr. Josefine Zöller und Meister Bruce Kumar Frantzis.

Mein Dank gilt Barbara Temelie, bei der ich den therapeutischen Einsatz der chinesischen Ernährungslehre erlernen durfte, und Martha Heinen, mit der ich auf den Gebieten Qigong und Ernährung nach den Fünf Wandlungsphasen zusammenarbeite.

Dank gebührt auch meinem Freund und Schüler Stefan Schöning, der für dieses Buchprojekt die fototechnische Realisierung übernahm, sowie Frau Sabine Kazik, die sich die Zeit für die fachliche Korrektur nahm und mich mit konstruktiver Kritik forderte und förderte.

Zutiefst danke ich Frau Doris Lemper, die sich spontan bereit erklärte für die Fotos in diesem Buch Modell zu stehen.

Für das Gegenlesen danke ich herzlichst meinen Eltern, Hans und Marianne Stuhlmacher.

Tiefer Dank gilt auch all meinen Schülern und Weggefährten, durch die ich immer wieder gefordert und angeregt wurde, mich tiefer in das Thema zu begeben.

Mein letzter Dank gilt dem Windpferd Verlag, und hier besonders Frau Jünemann, die es mir ermöglichte, meine Gedanken mit diesem Buch der Allgemeinheit zuganglich zu machen.

Für die Inspiration danke ich meinen geliebten und inzwischen verstorbenen Großmüttern.

Einführung in die Chinesische Medizin

Geschichte

Die Chinesische Medizin hat eine mehrere tausend Jahre alte Geschichte. Genaue Entstehungsdaten lassen sich leider heute nicht mehr ermitteln, doch einige Fakten sind relativ eindeutig nachvollziehbar. Das erste, heute noch erhaltene Werk über alle Aspekte der Chinesischen Medizin ist das »Huangdi Neijing, »Der Klassiker des Gelben Kaisers zur Inneren Medizin«. Jüngste Forschungen besagen, daß es etwa in der Zeit zwischen 200 v. Chr. und Christi Geburt entstanden ist, obwohl die chinesische Historiographie immer noch die Jahre 2698-2589 v. Chr. als Entstehungsdatum angibt. Wann es wirklich entstanden ist, braucht uns im Rahmen dieses Buches jedoch auch gar nicht weiter zu interessieren. Daß es über 2000 Jahre alt ist, gilt als unbestritten, und allein schon dieses Alter ist ein deutlicher Hinweis auf die Größe und die Bedeutung der Chinesischen Medizin. Ein Medizinsystem, das keine Erfolge zu verzeichnen hat, würde niemals einen so langen Zeitraum überleben.

Das Huangdi Neijing ist eine zum Teil als »Frage-Antwort-Situation« aufgebaute Darstellung der Chinesischen Medizin. »Ich möchte mehr über die Ursachen, die für Leben und Tod ausschlaggebend sind, erfahren und darüber, wie man damit umgehen muß«, fragt da der legendäre Gelbe Kaiser seinen Minister Qi Bo. Und dieser gibt geduldig Antworten auf die Zusammenhänge zwischen Leben und Tod, zwischen Mensch und Natur. Besonders die ersten Kapitel beschreiben Naturbeobachtungen und -erfahrungen, um die Prinzipien einer gesunden und wahren Lebensführung im Einklang mit der Natur darzustellen. So antwortet Qi Bo auf des Kaisers oben erwähnte Frage:

»In alten Zeiten orientierten sich die Leute, die das Dao verstanden, an Yin und Yang, den beiden Prinzipien, die die Natur ausmachten, und lebten in Übereinstimmung mit den Gesetzen des Kosmos und der Gestirne. Sie waren zurückhaltend in essen und trinken, sie standen zu den gleichen Zeiten auf und gingen zu den gleichen Zeiten zu Bett. Auf diese Weise

hielten die Alten Körper und Geist zusammen, um so die ihnen angemessene Zeit voll auszuschöpfen, die bis zu hundert Jahren betragen konnte, bevor sie dahinschieden.

Heute aber sind die Menschen ganz anders: sie trinken Wein und sind in ihrem Verhalten überaus leichtsinnig, was ihre Lebensweise angeht. Sie übertreiben es in der körperlichen Liebe, und ihre Leidenschaften übertreffen ihre Lebenskraft bei weitem, und in ihren Begierden vergeuden sie ihre wahren Kräfte. Sie wissen nicht, wie sie Befriedigung in sich selbst finden können, und sie sind in der Kontrolle des Geistes ungeübt. Sie geben sich völlig dem Genuß hin und halten sich somit von den Freuden eines langen Lebens fern. Sie stehen zu unregelmäßigen Zeiten auf und gehen zu unregelmäßigen Zeiten zu Bett. Aus diesen Gründen erreichen sie nur die erste Hälfte von hundert Jahren und lassen dann körperlich nach.«

Ist es nicht faszinierend, daß diese Zeilen, die durchaus auch aus der heutigen Zeit stammen könnten, bereits über 2000 alt sind? Für mich illustrieren sie jedenfalls deutlich die Aktualität der Chinesischen Medizin auf einer ganz allgemeinen Ebene. In den weiteren Abschnitten des Huangdi Neijing finden wir aber auch konkretere Aussagen über die Funktionen von Körper und Geist und deren Zusammenspiel sowie genaue Darstellungen des menschlichen Körpers und der verschiedenen Konzepte der Chinesischen Medizin, also etwa Beschreibungen von Organfunktionen, Leitbahnen und Behandlungsstrategien.

Während einige ältere archäologische Funde die Entstehung der Chinesischen Medizin aus Weissagungstechniken und dem Ahnenkult heraus nahelegen, finden wir im Klassiker des Gelben Kaisers erstmals eine systematische Sammlung und Darstellung der verschiedenen Aspekte der Chinesischen Medizin. Die meisten der dort getroffenen Aussagen sind nach wie vor gültig, und das Huangdi Neijing gehört in China auch heute noch zur Standardliteratur für die Ausbildung in Chinesischer Medizin, obwohl es leider nicht mehr die überragende Stellung einnimmt, die es einmal hatte.

Der Mensch als Teil der Natur

Im Huangdi Neijing finden wir eine ganzheitlich orientierte Medizin, in welcher der Mensch im Gesamtgefüge der Natur und des Kosmos gesehen wird. Gerade wir, die wir in einer hochtechnisierten und spezialisierten Welt leben, werden durch die alten Texte daran erinnert, daß die Beherrschung der Natur nicht das Maß al-

16

ler Dinge ist. Wir werden daran erinnert, was es ausmacht, Mensch zu sein, und es wird uns wieder bewußt, daß wir nur ein Teil der Natur sind, der wir uns in Demut und Rücksicht anzupassen haben, um gesund und glücklich zu leben.

So sieht die Chinesische Medizin schon von Beginn an den Menschen als ein Glied einer Kette, in der alle Teile ineinander greifen und sich gegenseitig beeinflussen. Wir können uns nicht trennen vom Rest der Natur oder gar über ihr stehen. Wir haben uns an bestimmte Verhaltensregeln zu halten, wenn wir gesund bleiben und den harmonischen Lauf der Natur nicht beeinträchtigen wollen. Alles ist Eins und greift ineinander. Der Mensch ist ein Teil der Natur und der Gesellschaft, und es gibt auch keine Trennung zwischen Körper, Geist und Seele.

Die im Huangdi Neijing beschriebenen Verhaltensregeln haben aber nichts Starres, und ich möchte hier keineswegs dafür plädieren, daß wir alle zurückgezogen und asketisch irgendwo im tiefsten Wald leben sollen, wie dies die weisen Daoisten in alten Zeiten getan haben. Die Lebensumstände haben sich in der Zwischenzeit stark gewandelt und tun dies weiterhin in immer schnellerem Tempo. Hier und heute zu leben, bedeutet auch, sich den hier gegebenen Lebensbedingungen zu stellen und trotzdem die Rhythmen und Gesetze der Natur nicht zu vergessen. Vielleicht gelingt es uns ja dann, das ein oder andere ungesunde Verhaltensmuster abzulegen. Einer meiner Lehrer sagte immer, »Ab und an mal Party zu feiern ist gut, jeden Tag Party feiern ist nicht gut!«

Die Weiterentwicklung der Chinesischen Medizin

Kommen wir zurück zur geschichtlichen Entwicklung der Chinesischen Medizin. Fast alle später erschienenen Werke über Chinesische Medizin bezogen sich in irgendeiner Form auch auf das Huangdi Neijing. Es entstanden in den folgenden Jahrhunderten viele berühmte und wichtige medizinische Werke. So verfaßte zum Beispiel Zhang Zhonjing im 2./3. Jahrhundert n. Chr. das »Shang Hanlun«, eine Abhandlung über die verschiedenen Arten von Fieber, und Wang Shuhe veröffentlichte ein bekanntes Werk über die Kunst der Pulsfühlung, die eines der wichtigsten diagnostischen Verfahren der Chinesischen Medizin darstellt.

Im Jahre 1027 n. Chr. ließ der Arzt Wang Weiyi für die Schüler der Medizin eine Bronzefigur in menschlicher Größe gießen, auf der die Akupunkturpunkte erkennbar waren. Diese Figur, an der die

Schüler das Auffinden der Punkte übten, wurde mit Wasser gefüllt und mit Wachs übergossen. Wurde ein Punkt richtig getroffen, so lief aus der Figur ein wenig Wasser heraus.

Zwischen 1518 und 1593 wirkte Li Shizhen und veröffentlichte einige Bücher über Chinesische Medizin. Bekannt und berühmt sind seine »Untersuchungen über die Acht Unpaarigen Leitbahnen« und seine Arbeiten zur Kräuterheilkunde. Sein Werk über die Pharmakologie gilt als eines der bedeutendsten Bücher dieser Epoche. Schließlich ist noch die 1749 erschienene Sammlung »Der goldene Spiegel der Heilkunst« zu erwähnen, in der über 80 Ärzte ihr Wissen zusammengestellt haben.

Wollte man die Geschichte der Chinesischen Medizin akribisch nachvollziehen, wären freilich noch viele andere Ärzte und von diesen verfaßte Werke zu nennen. Über 4000 traditionelle Werke sind in China bekannt, doch wir wollen diese den Forschern überlassen und uns dem heutigen Stand der Dinge zuwenden.

Chinesische Medizin im heutigen China

Über all die Jahrhunderte hat sich die Chinesische Medizin immer weiter entwickelt. Es wurden Theorien verworfen, Konzepte verfeinert, neue Aspekte erforscht und zu einem vorwissenschaftlichen Medizinsystem zusammengefügt. Die Chinesische Medizin erlebte Höhen und Tiefen, war zeitweise auch ganz verboten und wurde 1958 von Mao Zedong praktisch wieder rehabilitiert. Von ihm stammt der Ausspruch: »Die chinesische Medizin und Arzneikunde sind eine große Schatzkammer; Anstrengungen müssen unternommen werden, um sie nutzbar zu machen und auf ein höheres Niveau zu heben«. Seit dieser Zeit hat die Chinesische Medizin in ihrem Ursprungsland eine große Renaissance erfahren und kann sich heute wieder neben der westlichen Schulmedizin, die einen großen Einfluß in China erlangen konnte, behaupten.

Kritisch anzumerken ist, daß in jüngster Zeit in China und auch in anderen Ländern die Tendenz besteht, Chinesische Medizin und westliche Schulmedizin zu vermischen, was oftmals ein völliges Durcheinander zur Folge hat. Mir erscheint jedenfalls die Vermengung beider Medizinsysteme als nicht sinnvoll. Für sehr viel effektiver halte ich ein ergänzendes Nebeneinander, eine Medizinform komplementär zur anderen. Festzuhalten bleibt, daß in China heutzutage fast in der Hälfte aller Kliniken wieder chinesisch und in der andere Hälfte schulmedizinisch behandelt wird. Auch ist eine

Form der Zusammenarbeit und Akzeptanz, wie oben beschrieben, im Entstehen, und die gilt es, sowohl in China als auch hier auszubauen.

Leider wird auch in China zunehmend pragmatisch behandelt, womit ein wichtiger Aspekt der Chinesischen Medizin immer mehr an Bedeutung verliert, nämlich die Vorsorge. Längst werden nicht mehr nur Gesunde, sondern vorrangig kranke Menschen behandelt, und allgemeine Ratschläge zur Lebensführung spielen nur noch eine untergeordnete Rolle. Der Einzug der Chinesischen Medizin im Westen, und gerade auch ihr Einsatz in der Gesundheitsvorsorge, hat aber auch Rückwirkung auf das Herkunftsland China, und so bleibt die Hoffnung, daß wesentliche traditionelle Konzepte und Auffassungen der Chinesischen Medizin auch in China irgendwann wieder mehr Berücksichtigung finden.

Die Philosophie des Daoismus

In diesem Kapitel möchte ich den Stellenwert der Philosophie innerhalb der Chinesischen Medizin aufzeigen. Dabei geht es mir darum, deutlich zu machen, von welch grundlegender Bedeutung philosophische Grundlagen auch auf ganz pragmatischer Ebene sein können, d. h. wie sie sich ganz konkret auf die chinesische Vorstellung davon, wie die Gesundheit zu erhalten und Erkrankungen zu behandeln sind, auswirkt. Um den Ausflug in die Philosophie nicht zu lang werden zu lassen, beschränke ich mich auf die Darstellung der frühen und noch heute gültigen daoistischen Konzepte zur Gesunderhaltung des Menschen.

Die Vorläufer der Chinesischen Medizin waren verschiedene Systeme der Gesundheitsvorsorge und Therapie von Krankheiten. Diese waren zum Teil eingebettet in religiöse Rituale, schamanistische Techniken oder entstammten dem unüberschaubaren Fundus der Volksheilkunde. Wissenschaftliche Ansätze und eine nach unserem Verständnis strukturierte Gesamtordnung sind hier so gut wie gar nicht zu finden. Gerade dies jedoch macht die Überlegungen der damaligen Behandler auch wieder interessant, öffnen sie uns doch die Augen für Denkansätze, die bei uns nicht mehr existieren.

Die Natur als das Maß aller Dinge, die Beobachtung der verschiedensten Zyklen auf unserem Planeten Erde, die Wahrnehmung der Stellung des Menschen im Kosmos, die Wahrnehmung unseres Seins – solche Denkansätze sind bei uns so verkümmert, daß kaum jemand in der Lage ist, dies entsprechend wahrzunehmen oder solche Erfahrungen gar an die nächste Generation weiterzugeben.

Das Zitat aus dem zweiten Kapitel des Huangdi Neijing, das ich diesem Buch vorangestellt habe, gibt einen Einblick in Zusammenhänge, die wir meist nicht mehr wahrnehmen. Es macht deutlich, wie praxisorientiert Philosophie zu sein vermag und wie hilfreich ihre Erkenntnisse für alle Aspekte des menschlichen Lebens sein können.

Das Dao und das Gesetz des ewigen Wandels

Ich möchte an dieser Stelle kurz den Begriff Dao erläutern, da er in den folgenden Abschnitten immer wieder auftaucht. Die Übersetzungen dieses Begriffes sind – wie so oft bei den zentralen Begriffen des chinesischen Denkens – sehr vielfältig und reichen von »Gott«, »Geist«, »Sinn«, »Gesetz« bis zu »Weg«.

Laozi, der als Vater des Daoismus gilt und das berühmte Werk »Daodejing« verfaßt hat, versucht sich in den 81 Kapiteln dieses Buches fortwährend an das eigentlich unbeschreibliche Dao anzunähern. Er nennt es »gestaltlose Gestalt« oder sagt, es ist »leer« und doch »alldurchdringend«, es »wirkt nicht« und doch »bleibt nichts ungetan«. Will man dem Dao folgen, so muß man die Prinzipien des »Weiwei« (Nicht-Handeln) begreifen. Durch Wuwei soll jeder absichtsvolle Eingriff in den Lauf der Dinge vermieden werden, da er über kurz oder lang scheitern würde. Mit Wuwei dem Dao zu folgen bedeutet, daß wir uns auf die Beobachtung der Natur und deren Lebensgesetze besinnen und nach diesen Gesetzmäßigkeiten handeln.

Es bedeutet, das eigene Schicksal annehmen, ohne jedoch dem Irrtum zu verfallen, nichts tun zu können. Wir können unser Schicksal nämlich sehr wohl in die eigene Hand nehmen, indem wir die Gesetze der Natur verstehen und uns entsprechend verhalten, unsere Lebensgeschichte also aktiv mitgestalten.

Allein mit dem Verstand ist das Dao niemals ganz zu erfassen. Der rein verstandesmäßig (wissenschaftlich) ausgerichtete Geist wird niemals alle Aspekte des Lebens aufzeigen können. Unsere Welt ist viel zu komplex, als daß sie sich so reduzieren ließe. Im

Daodejing finden wir jedoch noch weitere Textstellen,
die den Begriff des Dao erhellen können.

Aus dem Dao entstehen die beiden Kräfte Yin und
Yang und deren Wechselwirkungen, auf die ich im zweiten Teil dieses Buches noch näher eingehen werde. Ohne
das Konzept von den polaren Kräften Yin (weiblich, passiv, dunkel, negativ etc.) und Yang (männlich, aktiv, hell,
positiv etc.) ist die Chinesische Medizin nicht denkbar, und
ihm wird deshalb ein eigenes Kapitel gewidmet. Bleiben wir jedoch zunächst dabei, was das Daodejing über Yin und Yang sagt:

*Yin und Yang bringen die »zehntausend Dinge« hervor. Damit ist ge-
meint, daß alle Erscheinungen im Kosmos Ansammlungen verschiedener
Größenordnung von Yin- und Yang-Energie sind. Dabei ist alles ständig in Bewegung, in Veränderung, im Wandel begriffen. Es gibt keine
Starre. Die (Mutter) Erde (Yin) und der (Vater) Himmel (Yang) sind
zwei Manifestationen des Dao. Sie verändern sich immerfort, und zwischen diesen beiden Urkräften steht der Mensch als Mikrokosmos im
Makrokosmos und wird durchströmt vom Qi des Himmels und Erde.*

Somit ist auch der Mensch im steten Wandel. Wenn es ein Gesetz
gibt, dann das des ewigen Wandels, der ewigen Veränderung.

Der Geist beeinflusst den Körper, dieser wiederum die Seele, und
so stehen alle Aspekte des Menschseins in enger Abhängigkeit und
ständiger Veränderung zueinander. Der »Lauf der Dinge« zeigt sich
im fortwährenden Wandel, dessen Gesetz wir nur verstehen und
umsetzen müssen, um im Einklang mit der Natur zu bleiben. Dazu
bedarf es sicher einiger Änderungen unserer, doch so liebgewonne-
nen, Lebensgewohnheiten, aber unmöglich ist es keinesfalls.

»Auch der längste Weg beginnt mit dem ersten Schritt« und das
Wissen um das Gesetz des Wandels macht es uns leichter, den ersten Schritt zu tun.

Erkennen wir unseren Weg und folgen wir dem Dao, auf das wir
zu unserem wahren Selbst zurückfinden.

Alle nur denkbaren Aspekte beeinflussen uns und unsere Gesundheit. Gesellschaft, Familie, Gestirne, Arbeit, Umwelt, Gedanken, Gefühle – wie sollte es möglich sein, dies alles wissenschaftlich zusammenzufassen und endgültig zu bewerten. Schon während des Zusammentragens der verschiedenen Informationen
verändert sich etwas.

Hervorzuheben ist hier, daß die Chinesische Medizin – früher wie heute – den Zustand der vollkommenen Gesundheit als ein sehr schwer zu erreichendes Ziel betrachtet. Bedingt durch unser Leben mit all seinen tagtäglichen Belastungen und Wandlungen, ist Krankheit eigentlich vorprogrammiert. Gesundheit fällt uns also nach dieser Auffassung nicht einfach zu, sondern wir müssen sie uns im positivsten Sinne des Wortes erarbeiten. Wir im Westen gehen eher davon aus, daß Gesundheit der Normalzustand ist und uns zwischendurch die Krankheit befällt, ohne daß wir etwas dagegen tun können oder dafür mitverantwortlich sind. Es ist natürlich einfacher, andere (Ärzte) oder die Krankheit selbst für sein Leiden verantwortlich zu machen. Ob es auf Dauer gesünder ist, wage ich allerdings zu bezweifeln.

Die sieben Stufen des daoistischen Heilens

Ich möchte Ihnen jetzt die uralten Regeln der Daoisten vorstellen, die schon vor vielen tausend Jahren die »Sieben Stufen des Heilens« kannten und praktizierten. Mit den sieben Stufen wird eine Wertigkeit der einzelnen Verfahren aufgezeigt, die von oben nach unten abnimmt. Die erste Stufe wird also als wichtigste und erfolgreichste angesehen, während die siebte Stufe die letzte und schlechteste Möglichkeit der Heilbehandlung darstellt. In dieser Hierarchie stehen die Verfahren, die eines professionellen Behandlers bedürfen, eindeutig unter denjenigen, die jeder selbst ausführen kann. Im Gegensatz zur westlichen Schulmedizin betont das daoistische Heilsystem die Selbstverantwortung des einzelnen für seine Gesundheit und zeigt entsprechend viele Möglichkeiten zur Selbstheilung auf. Außerdem beachtet es die Verbindung von Körper und Geist, die hierzulande ja geradezu stiefmütterlich behandelt wird und nur eine sehr untergeordnete Rolle spielt. Obwohl auch wir wissen »Wo ein Wille ist, da ist auch ein Weg«, vertrauen wir in Punkto Heilung fast ausschließlich den äußeren Eingriffen.

1. Stufe: Meditation

Die erste Stufe ist die Rückbesinnung auf den Ursprung des menschlichen Lebens, was die Daoisten als »Versenkung in das Dao« bezeichnen. Um diese Verbindung zum Selbst zu erreichen, muß man meditieren.

Die Meditation im ursprünglichen Daoismus war nicht so sehr an bestimmte Rituale gebunden. Vielmehr sollte der Mensch in die

Lage versetzt werden, dem Leben – dem Dao – zu folgen, in all seinen Höhen und Tiefen, ohne dies in irgendeiner Art und Weise zu bewerten. Ziel ist es, sich und das Leben anzunehmen wie es ist. Dem Dao folgen bedeutet, der »höheren Gesetzmäßigkeit des Universums« zu folgen, ja in diese einzutauchen und niemals gegen seine »Bestimmung« zu handeln. Nur in dieser Geisteshaltung kann Gesundheit bestehen oder wiederhergestellt werden.

2. Stufe: Atemtechniken

Auf der zweiten Stufe wird die Atmung zur Heilung eingesetzt. Durch bewußte Wahrnehmung der Atmung und durch bestimmte Atemtechniken soll der Mensch in seiner Ganzheit wieder hergestellt werden. Durch das Ein- und Ausatmen stehen wir in ständigem Kontakt zu unserer Außenwelt. Über die Beobachtung und Führung des Atems lassen sich viele Dinge in ein anderes Verhältnis zueinander bringen, erscheinen viele Aspekte des Alltags in einem anderen Licht.

3. Stufe: Innere und Äußere Bewegungen

Die dritte Stufe befaßt sich mit der Bewegung. Die Innere Bewegung meint die Bewegung von Qi. Durch die Bewegung von Qi im Körper, durch die Abgabe von verbrauchtem Qi und die Aufnahme von frischem Qi, durch das Auflösen von Blockaden soll der Mensch wieder ganz werden und gesunden. Die Äußere Bewegung sollte auch nicht vernachlässigt werden, um die Muskeln zu trainieren und Übergewicht zu vermeiden. Die Innere Form der Bewegung wird aber als wichtiger angesehen.

4. Stufe: Richtige Ernährung

Auf der vierten Stufe geht es um den richtigen Einsatz der Nahrungsmittel, also um Ernährung als Möglichkeit, Beschwerden vorzubeugen bzw. diese zu beheben. Die Ernährung sollte vielseitig und ausgewogen sein und der entsprechenden Person angepaßt werden. Sie kann die anderen Stufen des Heilens hervorragend unterstützen. Zu dieser Stufe gehört auch der Einsatz von Heilkräutern.

5. Stufe: Massagen und Bäder

Die fünfte Stufe umfaßt Massagen und die Anwendung von Bädern. In beiden Fällen geht es dabei um Methoden der Selbst-

behandlung sowie um professionelle Behandlungen oder Verord-
nungen. In dieser Stufe vollzieht sich also ein Wechsel in der Art
der Behandlung. Es tauchen nun erstmals Methoden auf, zu denen
der Patient einen Therapeuten benötigt, der etwas mit ihm tut.

6. Stufe: Akupunktur und Moxibustion

Die sechste Stufe ist die erste Stufe in diesem daoistischen Heils-
system, in der ausschließlich andere Personen, also Behandler oder
Therapeuten, die Verantwortung für den Patienten übernehmen.
Beim Einsatz von Akupunktur und Moxibustion ist der Patient
überwiegend unbeteiligtes Objekt, das mit sich machen läßt. Aber
selbst hier gibt es noch vereinzelt Aufgaben, die der Patient nach
kurzer Anleitung alleine zu Hause ausführen kann und soll. So kann
etwa die Hitzetherapie mit Moxakraut dem Patienten erklärt werden, und er kann damit bestimmte Akupunkturpunkte täglich
selbst behandeln.

7. Stufe: Chirurgie

Als siebte Stufe des daoistischen Heilens, also als letzte und schlechteste Möglichkeit aller Therapiemöglichkeiten, wird die Chirurgie
genannt. Hierbei erfolgt der Eingriff ausschließlich von einem Arzt,
und die Eingriffe bewirken direkt Veränderungen des körperlichen
Gewebes.

Um hier gleich Mißverständnissen vorzubeugen, sei erwähnt,
daß es zur damaligen Zeit relativ wenig »Unfälle« gab. Es gab keine
technisierten Fortbewegungsmittel wie Auto, Flugzeuge etc. und
somit natürlich auch wesentlich weniger Unfallfolgen als in der
heutigen Zeit. Deshalb will ich mit der Darlegung der daoistischen
Heilprinzipien auch keineswegs die heutige Chirurgie verteufeln.
Ganz im Gegenteil, gerade auf diesem Gebiet hat ja die Schulmedizin Hervorragendes geleistet, während es andere Bereiche gibt, wie
z. B. die chronischen Erkrankungen, wo sie an ihre Grenzen gekom-
men ist, sei es finanziell oder auch in ihren Heilerfolgen.

Schulmedizin und Chinesische Medizin

In diesem Kapitel geht es um ein sehr heikles Thema. Die Vertreter unserer Schulmedizin betrachten ihr medizinische Wissen größtenteils immer noch als unantastbares Dogma und tun sich schwer mit allen neuen Ideen, andersartigen Denkmodellen und Behandlungswegen. Viele Ärzte fühlen sich leider noch immer als »Halbgötter in Weiß« und lehnen jegliche Beschäftigung mit alternativen Heilmethoden oder gar deren Anerkennung kategorisch ab – und zwar oft sogar, ohne sich mit der betreffenden Methode vernünftig und vorurteilsfrei auseinandergesetzt zu haben.

Doch die Patienten beginnen immer mehr, nach Alternativen Ausschau zu halten. Besonders jene, denen unsere Medizin leider nicht mehr helfen kann. Außerdem trägt die Kostenexplosion im Gesundheitswesen an einigen Stellen auch dazu bei, daß Naturheilverfahren oder Konzepte der Gesundheitsvorsorge ausprobiert und hin und wieder sogar anerkannt – und damit auch finanziert – werden.

Die Vorteile der Chinesischen Medizin

Die Chinesische Medizin bietet eine ausgezeichnete Möglichkeit der Ergänzung, weil ihre Stärken genau da liegen, wo die Schulmedizin ihre Schwächen hat, nämlich im Bereich der Gesundheitsvorsorge und bei der Behandlung chronischer Erkrankungen. Leider sind die Zeiten schon wieder vorbei, in denen die Krankenkassen ihren Mitgliedern im Rahmen eines Vorsorgeprogrammes Daoistische Yoga-, Taijiquan- oder Qigong-Kurse anboten. Schon wieder wird an der falschen Stelle gespart. Die Zeit der Öffnung reichte immerhin aus, um sehr viele Menschen in Kontakt mit fernöstlichen Übungssystemen zu bringen und sie in unserer Gesellschaft als etwas zu etablieren, von dem in der Zwischenzeit doch fast jeder zumindest eine vage Vorstellung besitzt, wenngleich der Aspekt der Entspannung oft einseitig in den Vordergrund gerückt wird und andere Aspekte noch gar nicht betrachtet werden.

All diese Übungssysteme haben einen engen Bezug zur Chinesischen Medizin und bauen auf den selben Theorien auf. Sie enthalten eine Fülle an Möglichkeiten zur Gesundheitsvorsorge und zur natürlichen Lebensführung. Darüber hinaus bieten sie aber auch hervorragende therapeutische Möglichkeiten und Ansätze. Josefine Zöller, eine bekannte Berliner Ärztin und Qigong-Lehrerin, schrieb in ihrem Qigong-Buch »Das Tao der Selbstheilung« schon 1984: »Angesichts der Erfolge, die in China mit dieser Form der Heilbehandlung erzielt werden, sollte man Qi Gong auch im Westen als Therapieform aufgreifen und untersuchen. Auch ohne daß man – bis heute – das Qi-Energiesystem wissenschaftlich erklären kann, könnten die Ergebnisse, an denen allein der Kranke interessiert ist, für sich sprechen.«

So haben die chinesische Heilgymnastik, aber auch andere Bereiche der Chinesischen Medizin hohe Erfolgsquoten bei chronischen Erkrankungen aufzuweisen. Gerade Beschwerden wie Rheuma, Arthrose, Diabetes oder Asthma, um nur einige wenige zu nennen, können zu einem großen Prozentsatz mit Chinesischer Medizin geheilt oder doch deutlich zumindest gelindert bzw. zum Stillstand gebracht werden.

Der große Vorteil der Behandlung mit Chinesischer Medizin liegt gerade in diesem Bereich auch darin, daß sie wenig oder oft gar keine Nebenwirkungen hat. Und gerade dies ist ja bei chronischen Erkrankungen von großer Bedeutung. Bei schulmedizinischer Behandlung sieht es nämlich oft so aus, daß man z. B. ein Medikament gegen eine Entzündung bekommt und bald darauf ein nächstes gegen die Magenschmerzen, die durch das erste Medikament ausgelöst werden und so weiter. So ist es keine Seltenheit, daß gerade alte Menschen zehn oder mehr Tabletten täglich zu sich nehmen müssen.

Weitere Einsatzmöglichkeiten liegen im Bereich der sogenannten funktionellen Störungen, bei Beschwerden also, bei denen die Schulmedizin keine Organerkrankung nachweisen kann. Vielleicht haben Sie diese Situation ja selbst schon einmal kennengelernt: Sie gehen zum Arzt, weil Sie ständig Kopfschmerzen haben oder weil Sie sich immer müde und erschöpft fühlen. Ihr Arzt sagt Ihnen aber nur, Sie seien doch kerngesund oder aber, Ihre Beschwerden seien psychosomatischer Natur. Beides hilft Ihnen recht wenig.

An solchen Stellen stößt die Schulmedizin an ihre Grenzen, und zwar deshalb weil sie auf einem Denken beruht, das Körper und Geist voneinander trennt, das keine Ganzheit kennt. Dadurch, daß sich die medizinische Forschung bis vor wenigen Jahren fast ausschließlich mit dem Körper befaßt hat, konnte sie zwar auf diesem Gebiet wirklich große Entwicklungen und Fortschritte erreichen. Unsere Seele und unser Geist, unsere Emotionen und unsere spirituellen Bedürfnisse wurden dabei jedoch völlig außer acht gelassen, und deshalb kann die Schulmedizin Vorgänge, die durch das Zusammenspiel von Körper und Geist zustande kommen, weder verstehen noch sinnvoll behandeln.

Das Verhältnis von Arzt und Patient

Wir sind an einem Punkt angelangt, an dem es gilt, sich wieder auf die Ganzheit des Menschen zu besinnen. Dies erfordert von den Medizinern das Eingeständnis, daß sie nicht in der Lage sind, alle Beschwerden und Krankheiten adäquat zu behandeln, und eine Offenheit für alternative Medizinsysteme. Aber auch für die Patienten bedeutet dies, daß sie umdenken müssen. Es ist dann nicht mehr der Arzt, der meine Gesundheit in den Händen hat – auch ich selbst muß Verantwortung tragen für mein Wohlbefinden. Ich habe die Pflicht und die Möglichkeit, selbst etwas für mein Wohlbefinden zu tun.

Die ursprüngliche Bedeutung des Wortes »Mediziner« leitet sich von dem Begriff »Meditation« ab, der frei übersetzt soviel wie »zur eigenen Mitte zurückkehren« bedeutet. Die Aufgabe des Mediziners war es also, die Patienten in ihre Mitte zurückzubringen, wenn sie dies nicht aus eigener Kraft konnten, nicht mehr und nicht weniger. Heute hingegen wird den Ärzten zuviel Macht und Verantwortung zugeschrieben – ein »Spiel«, an dem Ärzte sowie Patienten beteiligt sind. Die Ärzte genießen ihr hohes Prestige, die Patienten geben ihre Eigenverantwortung ab. Der Nachteil, den allerdings die Ärzte dabei zu tragen haben, ist der, daß ihnen mit der Verantwortung auch sehr viel Schuld aufgebürdet wird. Wenn ein Patient nicht gesund wird, hat halt der Arzt versagt. Ärzte und Patienten, die diese Mechanismen durchschaut haben, suchen deshalb heutzutage nach einem neuen Verständnis der Beziehung zwischen Arzt und Patient, und auch hierfür ist die Chinesische Medizin ein gutes Modell.

Zwei sich ergänzende Medizinsysteme

Daß die Chinesische Medizin bei manchen Beschwerdebildern besser wirkt als die Schulmedizin liegt nicht daran, daß sie generell besser ist. Vielmehr hat sie durch ihren völlig anderen Ansatz Konzepte und Therapien entwickelt, die eben gerade dort wirksam sind, wo die Schulmedizin aufhört. Dies gilt selbstverständlich auch umgekehrt. Bestimmte Erkrankungen lassen sich schulmedizinisch besser und effektiver behandeln. Aus diesem Grunde halte ich es für wichtig, von zwei sich ergänzenden Medizinsystemen zu sprechen, nicht von alternativen oder gar von konkurrierenden Systemen.

Wenn wir den Patienten, den kranken Menschen, in den Vordergrund stellen, dann müssen wir endlich aufhören, immer nur an eine Wahrheit zu glauben. Wir müssen uns öffnen für andere Blickwinkel und andere Meinungen. Weder ein Schulmediziner noch ein Praktiker der Chinesischen Medizin muß sich als Versager oder Verlierer fühlen, wenn er einmal nicht mehr weiter weiß bzw. seinen Patienten an einen Mediziner der anderen Richtung verweist, der ihm wahrscheinlich besser helfen kann. Laozi sagt im Daodejing: »Das Schwache besiegt das Starke«, und so kann in diesem Fall die Schwäche, das Zugeben der eigenen Begrenzheit, eindeutig zur Stärke werden.

Die Patienten müssen ihr Recht auf bestmögliche Hilfe und Behandlung endlich aktiv fordern und ihren Ärzten und den Krankenkassen dabei helfen, diesen Weg zu gehen. Außerdem müssen sie wieder lernen, eigene Verantwortung für sich und ihre Gesundheit zu übernehmen. Jeder einzelne sollte die Chance erkennen, die darin liegt, daß wir selbst etwas für unsere Gesundheit tun können und nicht ausschließlich auf andere angewiesen sind.

Die neueren Entwicklungen im Rahmen der sogenannten Gesundheitsreform sprechen leider eine ganz andere Sprache. Nach dem neuen Leistungskatalog wird nur mehr Krankheit finanziert, die Gesundheitsvorsorge ist ersatzlos gestrichen. Außerdem scheint das »Wissenschaftsfieber« noch einmal neu aufzuflammen. Nur was nach unseren derzeitigen Standards wissenschaftlich bewiesen werden kann, soll gefördert und bezahlt werden. Und das, obwohl wir doch wissen, daß es in allen Zeiten immer wieder die »Unwissenschaftlichen«, die Träumer und Außenseiter waren, die der Wissenschaft und dem Fortschritt neue Erkenntnisse brachten. Viele der heute anerkannten Ideen und Gesetze, die große Erfolge und Erleichterungen für die Menschheit bedeuteten, wurden zu Anfang als Scharlatanerie verurteilt und oft sogar vehement bekämpft. Es scheint, als ob wir nichts aus unseren Erfahrungen lernen würden.

Ich hoffe zutiefst, daß Sie, die betroffenen Patienten, eine größere Offenheit an den Tag legen als viele unserer Forscher und Wissenschaftler. Nutzen Sie das große Potential der Chinesischen Medizin für sich, denn Sie brauchen keiner Lobby zu dienen und sich auch keine Sorge um ihre Pfründe zu machen. Ihnen geht es einzig und alleine um Ihre eigene Gesundheit, um Ihr ganz konkretes Wohlergehen. Lassen Sie sich nicht zum Spielball, egal welcher, Interessengruppen machen.

Grundkonzepte der Chinesischen Medizin

Das universale Konzept – Yin und Yang

Um überhaupt einen Zugang zur Chinesischen Medizin zu bekommen, müssen wir uns zuerst mit einem der wichtigsten Konzepte nicht nur der Chinesischen Medizin, sondern der ganzen Chinesischen Kultur befassen. Yin und Yang sind zwei außerordentlich wichtige Begriffe für das chinesische Denken und somit auch für die Medizin der Chinesen.

Erste Erwähnung finden die Begriffe Yin und Yang in dem berühmten »Buch der Wandlungen«(Yijing), dessen Entstehungszeit sich etwa auf das 1. Jahrtausend v. Chr. datieren läßt. Dort heißt es: »Das Urchaos (Wujing) gebärt die beiden Urkräfte (Yin/Yang)«, und an anderer Stelle: »Himmel ist Yang und Erde ist Yin« sowie: »Himmel und Erde gebären die zehntausend Dinge.«

Im Yijing werden Entwicklungen und bestimmte Lebensrhythmen und -zyklen, die nach einem fast festgelegten Schema ablaufen, dargestellt. Versteht man die Prinzipien, die diesen Veränderungen zugrunde liegen, werden sie vorhersehbar und kalkulierbar, weshalb das Yijing auch als Orakelbuch benutzt wurde. Es sind sogenannte archetypische, menschliche Verhaltensweisen, die im Yijing auf beeindruckende und faszinierende Art und Weise überliefert sind.

Auch im Yijing geht es also um das Prinzip des ewigen Wandels, auf das ich im Kapitel über die daoistische Philosophie und den Begriff des Dao bereits eingegangen bin. Im Yijing wird der Versuch unternommen, die Gesetzmäßigkeiten dieses Wandels mit Hilfe der beiden aufeinander einwirkenden Kräfte Yin und Yang darzustellen.

Die Bedeutung von Yin und Yang

Aber was genau bedeuten denn nun eigentlich Yin und Yang? Wie kann man diese Begriffe definieren, in unsere Sprache übersetzen?

Wahrscheinlich kennen Sie die Darstellung von Yin und Yang als Monade, das berühmte Yin/Yang-Zeichen.

Wenn Sie dieses Zeichen genau betrachten, entdecken Sie einige sehr interessante Aspekte, die sich in der chinesischen Lebenslehre wiederfinden, die aber natürlich auch auf unser heutiges Leben anwendbar sind. Yin und Yang zusammen ergeben ein Ganzes – hier den Kreis. Sie gehen fließend ineinander über, und in jedem Yin finden wir Yang, in jedem Yang steckt Yin. Sie gehören zusammen, brauchen und beeinflussen sich gegenseitig. Hier einige Beispiele für Zuordnungen zu Yin und Yang:

Yin	Yang
Schattenseite eines Berges	*Sonnenseite eines Berges*
Nacht	*Tag*
Erde	*Himmel*
Mond	*Sonne*
weiblich	*männlich*
dunkel	*hell*
negativ	*positiv*
passiv	*aktiv*
unten	*oben*
Norden	*Süden*

Es ist wichtig zu betonen, daß mit der Zuordnung zu Yin und Yang keine Wertung verbunden ist. In unserer heutigen Zeit des Geschlechterkampfes mag es uns schwer fallen, diese Zuordnungen als neutral anzusehen.

Es handelt sich jedoch hier tatsächlich nur um ein Zuordnungssystem, das dazu dient, die Dynamik zweier gegensätzlicher Pole, aus der heraus alle Phänomene des Universums entstehen, zu beschreiben, d. h. deren Beziehung zueinander und deren gegenseitige Abhängigkeit zu verdeutlichen. Wir können die Nacht doch nur definieren, weil es den Tag gibt. Wir können das Weibliche nur bestimmen, weil es das Männliche gibt. Wir können das Dunkle benennen, weil es das Helle gibt. Yin und Yang zusammen symbolisieren die Einheit der Gegensätze, die das gesamte Universum – und damit auch uns – durchzieht.

Alle Phänomene des Universums können nach Yin und Yang eingeteilt, zugeordnet oder in Beziehung gesetzt werden, ohne daß wir dies – zunächst einmal – bewerten müssen. Grundsätzlich können wir folgendes festhalten:

Yin	*Yang*
passiver Aspekt	*aktiver Aspekt*
zentripetal	*zentrifugal*
stofflich	*energetisch*
in der Bewegung nach	*in der Bewegung nach*
innen und unten gehend	*oben und außen gehend*

Sie kennen sicher aus Ihrem Bekanntenkreis Menschen, die eher Yin-Typen sind (ruhig, leise, in sich gekehrt) und im Gegensatz zu diesen auch Yang-Typ (hektisch, laut, starke Gestik). Auch bei einer solchen Zuordnung, die manchmal sogar sehr eindeutig zu sein scheint, sollten Sie sich aber davor hüten, sie absolut zu setzen, denn auch hier gilt natürlich, daß alles dem Gesetz des Wandels unterworfen ist. Vielleicht wissen Sie ja von sich selbst, daß Sie zwar eigentlich eher ein Yang-Typ sind, aber trotzdem Ihre Phasen der Ruhe und Zurückgezogenheit brauchen. Und sicherlich kennen Sie auch Menschen, die Sie auf Anhieb gar nicht so recht einer der beiden Seiten zuordnen können. Auch dies wird im Yin / Yang-Zeichen dargestellt: In jedem Yin ist auch Yang und in jedem Yang auch Yin. Es gibt keine reine Form. Wir benötigen beide Pole für ein harmonisches Zusammenspiel.

Yin und Yang in der Medizin

Betrachten wir noch weitere Beispiele der Zuordnungen von Yin und Yang, jetzt auf unseren Körper bezogen.

Yin	*Yang*
Unterkörper	*Oberkörper*
Brust und Bauch	*Rücken*
rechte Seite	*linke Seite*
Körperinneres	*Körperäußeres*

Diese Beispiele machen die Relativität der Zuordnung zu Yin und Yang deutlich. So wird etwa der Oberkörper – im Verhältnis zum Unterkörper – dem Yang, Brust und Bauchraum, die ja nun auch zum Oberkörper gehören – im Verhältnis zum Rücken – jedoch dem Yin zugeordnet. Beim Kopf sieht das ähnlich aus. Im Verhältnis zum Rest des Körpers ist der Kopf eindeutig dem Yang zugeordnet. Wollen wir jedoch den Kopf selbst einteilen, erhält das Kinn auf einmal eine Yin-Zuordnung und die Stirn und die Schädeldecke werden Yang.

Lassen Sie sich von diesen Beispielen nicht verwirren. Das Prinzip der Einteilung ist ganz einfach und klar. Sie müssen sich nur jeweils bewußt darüber sein, daß die Zuordnung nicht absolut ist, sondern abhängig davon, im Verhältnis wozu Sie etwas einteilen möchten. Yin und Yang sind Begriffe, die dieses Verhältnis ausdrükken. Sie stehen nicht für die Sache selbst.

Doch kommen wir nun zu einigen weiteren Zuordnungen aus der Chinesischen Medizin.

Yin	Yang
Lunge	Dickdarm
Herz	Dünndarm
Milz	Magen
Leber	Gallenblase
Niere	Blase
Kälte	Hitze
Feuchtigkeit	Trockenheit
chronisch	akut

Die Chinesische Medizin teilt, je nach Lage und Aufgabe, auch die Organfunktionen nach Yin und Yang ein. Aber auch dabei dürfen wir nicht vergessen, daß Yin und Yang zusammengehören. So hat z. B. auch die Milz (Yin) einen Yang-Anteil oder aber der Magen (Yang) einen Yin-Anteil. Es kann passieren, daß z. B. das Yang der Milz leer ist oder aber das Magen-Yin schwach ist. Auf gar keinen Fall dürfen Sie bei den Yin/Yang-Einteilungen dem Irrtum verfallen, alle unter dem Begriff Yin oder dem Begriff Yang auftauchenden Begriffe in Beziehung zu setzen. Bei den medizinischen Zuordnungen ist es also durchaus möglich, daß eine chronische Erkrankung durch Hitze entstanden ist, obwohl Hitze laut oben stehender Tabelle dem Yang und chronische Erkrankungen dem Yin zugeordnet werden.

Yin und Yang im Alltag

Vielleicht fragen Sie sich jetzt, was Sie persönlich mit diesen Yin/Yang-Zuordnungen anfangen sollen, welche Folgerungen Sie daraus ziehen können? Nun, überlegen Sie doch einmal kurz, welche Werte in unserer Gesellschaft heutzutage wichtig sind, welche Ziele wir haben und wie unser Alltag in der Regel abläuft. Wahrscheinlich fallen auch Ihnen Begriffe wie Geld, Macht, Extrovertiertheit, Hektik, Streß, Action und Erfolg ein, um nur einige wenige zu nennen. Dies alles sind Yang-Zuordnungen. Die Yin-Seite hingegen wird sträflich vernachlässigt. Was uns dringend fehlt, was ja auch immer mehr Menschen suchen, sind Ruhe, Erholung und Entspannung. Ich bin fest davon überzeugt, daß ein Großteil unserer »Zivilisationskrankheiten« auf der Vernachlässigung dieser Yin-Aspekte, also auf einer Disharmonie von Yin und Yang beruht. Ist Ihnen klar geworden,

daß Bewegung	*Ruhe benötigt,*
daß viel arbeiten	*genügend Schlaf voraussetzt,*
daß einem Hoch	*ein Tief folgt,*
daß dem Ausatmen	*das Einatmen vorangeht,*
daß nach Anspannung	*Entspannung folgen sollte,*
daß oben	*und unten eins sind,*
daß die linke	*und die rechte Körperhälfte zusammengehören,*
daß man Körper	*und Geist nicht trennen kann,*
daß wir das Äußere	*und das Innere beachten und pflegen müssen,*
daß das Leben	*unweigerlich den Tod beinhaltet?*

Sie können diese Liste beliebig fortsetzen, und es wird Ihnen wahrscheinlich immer klarer werden, daß das Konzept von Yin und Yang in phantastisch einfacher Art und Weise das Universum, die Natur, das Leben – unser Leben – beschreibt und als eine Art Naturgesetz auch zu unserem Nutzen entsprechend umgesetzt werden kann. Yin und Yang zeigen die Dynamik der Natur, des Lebensrhythmus, der Energien im Kosmos, unseres Alltags.

Noch einmal: Es geht dabei nicht um eine Bewertung einzelner Aspekte des Lebens, sondern um eine Darstellungsmöglichkeit des Zusammenspiels dieser Aspekte. Aufgrund der Zuordnungen können wir lernen, dieses Wechselspiel zu verstehen, um dann Konsequenzen für unser Leben daraus zu ziehen, d. h. Yin und Yang in ein (gesundes) Gleichgewicht zu bringen. Es wird Zeit, daß wir unsere Natürlichkeit wiederentdecken und auch der Ruhe, der Entspannung, dem Inneren, der Natur, den Gefühlen, dem Yin-Pol in uns wieder die angemessene Zeit einräumen.

Tag und Nacht – fließende Übergänge von Yin und Yang

Bei der Zuordnung zu Yin und Yang kommt es, wie bereits erwähnt, immer darauf an, innerhalb welches Bezugssystems wir etwas einordnen möchten. So ist es möglich, jeden Yin/Yang-Aspekt immer noch weiter zu untergliedern in feinere Yin/Yang-Zuordnungen. Am Beispiel von Tag und Nacht möchte ich Ihnen dies noch einmal verdeutlichen. Entsprechend der ersten Zuordnungstabelle in diesem Kapitel ist der Tag Yang und die Nacht ist Yin. Wie wir beim Yin/Yang-Zeichen aber bereits festgestellt haben, sind die Übergänge von Yin zu Yang fließend, dargestellt durch die geschwungenen Linien im Kreis.

Am Beispiel von Tag und Nacht läßt sich sehr gut verdeutlichen, wie ein solch fließender Übergang funktioniert. Die Zeit von 6 Uhr bis 12 Uhr wird nämlich als Yang im Yang bezeichnet, die Zeit von 12 bis 18 Uhr als Yin im Yang, die Zeit von 18 Uhr bis 24 Uhr als Yin im Yin und die Zeit von 24 Uhr bis 6 Uhr als Yang im Yin.

Was hat es damit auf sich? Die Zeit von 6 bis 12 Uhr zeichnet sich durch höchste Aktivität (Yang) aus. Die Sonne bewegt sich in Richtung Höchststand, und deshalb sprechen wir vom Yang im

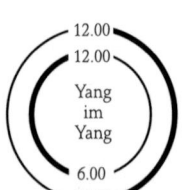

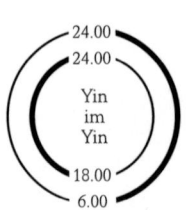

Yang. Von 12-18 Uhr ist immer noch Tag, also Yang, aber der Zenit ist überschritten, die Sonne zieht sich allmählich zurück, ganz langsam nehmen die Nachtelemente zu – deshalb Yin im Yang. Tiefste Nacht haben wir in der Zeit von 18-24 Uhr. Die Yangelemente haben sich (fast) vollständig zurückgezogen, es gibt (fast) keine aktiven Elemente mehr, also sprechen wir vom Yin im Yin. Ab 24 Uhr beginnt sich dies, obwohl immer noch Nacht (Yin), langsam wieder zu ändern. Aktive Aspekte bauen sich auf und bereiten fließend den nächsten Tag (Yang) vor, und deshalb wird die Zeit von 24-6 Uhr als Yang im Yin bezeichnet.

Freilich ist auch dies im Wandel begriffen. Sie wissen selbst, daß sich der Tag zumindest in unseren Breitengraden zum Sommer hin verlängert und die Nacht kürzer wird. Daß auch wir uns dieser Dynamik anpassen sollten, brauche ich eigentlich gar nicht zu erwähnen. Sie wissen, daß Sie im Sommer weniger Schlaf benötigen als im Winter oder daß Sie in den schöneren Sommermonaten mehr Elan und Energie haben als in den dunklen Herbst- und Wintermonaten.

Yin und Yang im Qigong

Abschließend möchte ich Ihnen die Möglichkeit geben, das Prinzip von Yin und Yang mit einer Übung aus der Chinesischen Heilgymnastik, dem Qigong, ganz unmittelbar zu erfahren.

Übung: Gewichtsverlagerung

Stellen Sie sich entspannt hin, mit schulterbreit voneinander entfernten Füßen, und verteilen Sie Ihr Gewicht gleichmäßig auf beide Beine. Wenn Sie einen guten, stabilen Stand gefunden haben, verlagern Sie Ihr Körpergewicht langsam zu 100% auf Ihr linkes Bein, indem Sie Ihr Becken zur Seite verschieben. Das linke Bein, das jetzt das gesamt Gewicht trägt, ist nun »voll«, wie man dies in der Sprache des Qigong ausdrückt, und somit als Yang einzuordnen, während das rechte Bein »leer« ist, also Yin-Qualität hat.

Wechseln Sie dann die Seiten, und lassen Sie das leere, rechte Bein langsam voll und das linke, volle Bein langsam leer werden. Jetzt hat das rechte Bein Yang-Qualität, und das linke Bein ist dem Yin zuzuordnen. Wiederholen Sie diese Übung einige Male in langsamem Tempo.

Diese Übung ist gar nicht so einfach, wie sie sich zunächst vielleicht anhören mag. Folgende Punkte sind besonders wichtig:

♦ Die Gewichtsverlagerung soll erfolgen, ohne daß Sie Ihr Becken bzw. die Hüfte schief stellen. Dabei hilft die Vorstellung, daß Sie Ihr Becken, wie auf einer Schiene, nur gerade nach links bzw. rechts verschieben können.

♦ Achten Sie genau darauf, daß Sie wirklich 100% des Gewichtes auf ein Bein verlagern. Sie werden merken, daß das ziemlich schwierig ist.

♦ Versuchen Sie die Yin- und Yang-Aspekte in Ihrem Körper ganz deutlich wahrzunehmen. Spüren Sie, wie sich das Yang aus dem »vollen« Bein langsam zurückzieht, während Sie das Gewicht auf das andere Bein verlagern, und wie sich gleichzeitig – in Abhängigkeit davon – das vorher leere Yin-Bein langsam zu füllen beginnt.

♦ Führen Sie diese Übung später auch einmal in der korrekten »Qigong-Haltung« aus, die Sie auf Seite 120 ff. beschrieben finden.

Die Fünf Wandlungsphasen

Wir kommen jetzt zu einem anderen wichtigen Konzept, das sich aus der Theorie von Yin und Yang entwickelte hat, nämlich zu der Lehre von den Fünf Wandlungsphasen (chin. Wu Xing). Dieses Konzept wurde im Westen zunächst als Lehre von der Fünf Elementen bekannt. Da unsere Auffassung von einem Element aber eher an etwas Stoffliches, Festes denken läßt und auch bei diesem Konzept wiederum der Aspekt der Veränderung, des stetigen Wandels im Vordergrund steht, hat sich in der Zwischenzeit der Begriff »Wandlungsphasen« mehr und mehr durchgesetzt.

Das Konzept der Fünf Wandlungsphasen (Holz, Feuer, Erde, Metall und Wasser) dient als Modell für das Verständnis zyklischer Prozesse der Natur sowie des menschlichen Wesens und seiner Körperprozesse, weil der Mensch ja als Teil der Natur, als Mikrokosmos im Makrokosmos verstanden wird. Da es bereits sehr viel Literatur zu diesem Thema gibt, möchte ich mich an dieser Stelle eher kurz fassen und Ihnen nur die wichtigsten Ideen dieses Konzeptes vorstellen. Wer tiefer einsteigen will, findet im Anhang eine ganze Reihe von Literaturhinweisen.

Die Zyklen der Wandlungsphasen

Auch das Konzept der Fünf Wandlungsphasen ist universal, d. h. es gibt nichts, was nicht im Rahmen dieses Modells zuzuordnen wäre. Alle Bereiche des täglichen Lebens können mit Hilfe der Fünf Wandlungsphasen kategorisiert und in Beziehung zueinander gesetzt werden. Am Beispiel der Zuordnung der Jahreszeiten zu den einzelnen Wandlungsphasen möchte ich Ihnen zunächst zeigen, auf welche Weise Yin und Yang Eingang in die Lehre von Fünf Wandlungsphasen gefunden haben.

Der Frühling als das junge Yang wird der Wandlungsphase Holz zugeordnet. Im Frühling beginnt alles zu wachsen, das Yang steigt auf, die Tage beginnen länger zu werden.

Der Sommer entspricht dem alten Yang und gehört zur Wandlungsphase Feuer. Jetzt strebt das Yang seinem Höhepunkt zu. Die Tage sind sehr lang, die Nächte kurz. Die Sonne scheint und die Temperatur steigt.

Im Spätsommer wandelt sich das Yang langsam zum Yin, wir befinden uns in der Mitte, und die zugeordnete Wandlungsphase ist die Erde. Die Pflanzen gedeihen bis zur Reife, das Wachsen gerät ins Stocken und verändert seine Richtung, d. h. der Rückzug beginnt.

Mit dem Herbst treten wir in die Zeit des jungen Yin, zugeordnet zur Wandlungsphase Metall. Die Blätter vergilben, die Erntezeit fängt an, die Farben werden schwächer, der beginnende Rückzug ins Innere wird überall gegenwärtig.

Der Winter schließlich entspricht dem alten Yin und gehört zur Wandlungsphase Wasser. Es gibt so gut wie keine kräftigen Farben mehr. Die Nächte sind lang, die Sonne scheint wenig, es ist kalt. Alles zieht sich zurück in die Wurzel, zum Yin.

Im nächsten Frühjahr beginnt der Kreislauf wieder von vorne.

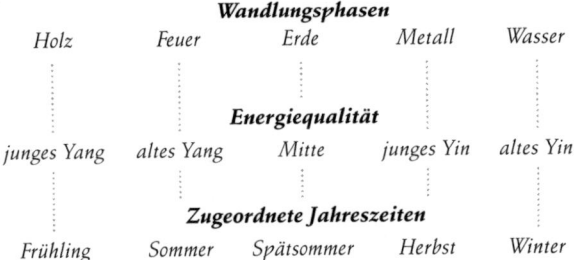

Hier noch ein weiteres Modell zur Darstellung der Fünf Phasen, welches allerdings einen etwas anderen Ansatz hat als das Vorherige.

Wir finden hier die vier Phasen Holz, Feuer, Metall und Wasser kreisförmig angeordnet, während sich die Phase Erde im Mittelpunkt befindet. Zwischen jedem Phasenwechsel kommt auch eine Übergangszeit »Erde«. Übertragen auf die Jahreszeiten haben wir zwischen dem Wechsel Frühling und Sommer, Sommer und Herbst, Herbst und Winter und Winter zum Frühling jeweils eine Zeit des Überganges, die Erde. Sehr schön verdeutlicht dieses Modell die enorme Wichtigkeit der Mitte, der Phase Erde. Die Übergänge zu den jeweiligen Jahreszeiten erfolgen ja allmählich und fließend, nicht abrupt. Hier wird ausgedrückt, daß es wichtig ist, in diesen Übergangszeiten sich immer wieder auf die

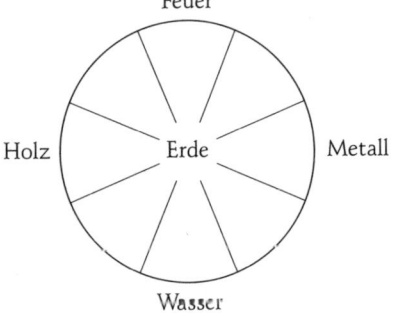

Erde, die eigene Mitte, zurückzubesinnen. Es erinnert uns daran, die eigene Mitte, unsere Wurzel und Stabilität, nicht aus den Augen zu verlieren. Es sei hier nochmals daran erinnert, daß die Modelle der CM die Möglichkeit bieten, bestimmte Prozesse zu beschreiben, einzuordnen und damit zu arbeiten. Sie sind aber nicht die Realität selber.

Der Kreislauf der Erschaffung

Diesem Zyklus der Jahreszeiten entspricht der sogenannte »Kreislauf der Erschaffung« (chin. Sheng), auch »Ernährungszyklus« genannt, in dem die Abhängigkeit der einzelnen Wandlungsphasen von den jeweils vor bzw. hinter ihnen stehenden Phasen dargestellt wird. Dies wird oft auch als »Mutter/Kind-Regel« bezeichnet, wobei diejenige Wandlungsphase, welche die darauffolgende ernährt, als Mutter und diejenige, die ernährt wird, als Kind betrachtet wird.

Holz	*ernährt*	*Feuer*
Feuer	*ernährt*	*Erde*
Erde	*ernährt*	*Metall*
Metall	*ernährt*	*Wasser*
Wasser	*ernährt*	*Holz*

Auf diese Weise stehen alle fünf Wandlungsphasen in enger Beziehung und Abhängigkeit zueinander. Sie erschaffen und erhalten sich. Das Holz ist die Mutter des Feuers – Holz gibt dem Feuer Nahrung – während das Feuer wiederum die Mutter der Erde ist – die Asche nährt die Erde. Ist die Mutter nicht stark genug, kann sie ihr Kind nicht mehr richtig ernähren, und es tritt ein energetisches Ungleichgewicht auf. Bedingt dadurch, daß jede Phase sowohl Mutter als auch Kind ist, kann bei einem lang andauernden Ungleichgewicht das gesamte System entgleisen.

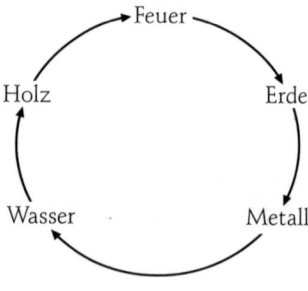

Haben Sie z.B. eine Schwäche der Lunge, so kann es durchaus sinnvoll sein, die Mutter, hier die Milz, zu stärken. Hat die Mutter (Milz) genug Energie, kann sie ihr Kind (Lunge) richtig ernähren und kräftigen. Da alle Teile miteinander verzahnt sind und in Abhängigkeit stehen, kann eine Schwäche der Milz auf Dauer auch zu einer Schwäche der Niere führen, da die Lunge wiederum die Mutter der Niere ist. Neben dem Kreislauf

40

der Erschaffung gibt es noch einige andere Zyklen wie z. B. den
»Kreislauf der Kontrolle« (chin. Ko), auf die ich an dieser Stelle jedoch nicht näher eingehen möchte. Wichtig ist mir hier nur, Ihnen
klarzumachen, daß es bei der Lehre von den Fünf Wandlungsphasen
darum geht, Gesetze des Wandels zu erkennen und entsprechend
nach diesen Erkenntnissen zu leben.

Die Fünf Wandlungsphasen in der Medizin

Wahrscheinlich fragen Sie sich jetzt, was denn nun aber ein Mediziner mit den Fünf Wandlungsphasen anfangen kann. Der nachfol-
genden Tabelle können Sie einige Zuordnungen entnehmen, die
Ihnen eine Ahnung davon vermitteln sollen, wie die Chinesische
Medizin mit diesem Modell arbeiten kann.

	Holz	Feuer	Erde	Metall	Wasser
Emotion	Wut / Zorn	Freude	Grübeln	Trauer	Angst
Gewebe	Sehnen	Gefäße	Muskeln	Haut, Körper- haar	Knochen
Sinnesorgan	Augen	Zunge	Mund	Nase	Ohren
Geschmack	sauer	bitter	süß	scharf	salzig
Jahreszeit	Frühling	Sommer	Spät- sommer	Herbst	Winter
Klima	Wind	Hitze	Feuchtig- keit	Trocken- heit	Kälte
Yin-Organ	Leber	Herz	Milz	Lunge	Niere
Yang-Organ	Gallen- blase	Dünn- darm	Magen	Dick- darm	Blase

Wenn Sie z. B. häufig Wutanfälle haben und Ihnen »die Galle hoch-
kommt«, so deutet dies auf eine Störung im Bereich der Wandlungsphase Holz hin. Haben Sie dagegen ständig Angst um Ihre Kinder,
die Zukunft etc., dann kann dies eine Störung der Wandlungsphase
Wasser anzeigen. All diese Zuordnungen geben dem Therapeuten
also Hinweise darauf, wo die Störung zu suchen ist bzw. welche
Wandlungsphasen mitbetroffen sind. In die Praxis umgesetzt bedeutet dies, daß der Therapeut z. B. bei einem Mangel an Energie
in der Wandlungsphase Metall überprüft, wie es um die »Mutter«,

nämlich die Wandlungsphase Erde, bestellt ist, und im Falle einer Schwäche der Erde versucht, diese zu stärken. Oder wenn er z. B. einen Überfluß an Energie in der Wandlungsphase Holz feststellt, sucht er nach der Phase, die an einem Mangel an Energie leidet und in die er den Überfluß ableiten kann.

In China findet man heute leider kaum noch Ärzte, die diese alte Theorie richtig beherrschen und anwenden. Durch den Einfluß des Westens wird die Chinesische Medizin dort immer pragmatischer und andere Modelle, wie z. B. das der »Zang Fu« (siehe Seite 66 ff.), auf das ich in einem späteren Kapitel zu sprechen kommen werde, haben sich dort durchgesetzt. Die Lehre von den Fünf Wandlungsphasen ist jedoch nach wie vor ein sehr schönes Modell, um die Beziehungen zwischen den unzählig vielen verschiedenen Kreisläufen, von denen der Mensch beeinflußt wird, einzuordnen und zu bewerten.

Die Fünf Wandlungsphasen in der Gesundheitsvorsorge

Für jeden einzelnen ist das Modell der Fünf Wandlungsphasen zum Beispiel in der Ernährung sehr gut einsetzbar. Um alle Wandlungsphasen zu unterstützen und in Harmonie zu bringen, sollten Sie alle fünf Geschmäcker (süß, scharf, salzig, sauer, bitter) gleichmäßig verwenden. Außerdem gibt es Qigong-Übungen, die nach diesem Modell eingeordnet sind und jeweils eine Wandlungsphase besonders ansprechen. So können Sie eine geschwächte Phase ganz gezielt durch eine entsprechende Übung stärken. Oder Sie stärken auch hier wiederum alle Wandlungsphasen, indem Sie alle Übungen in der Reihenfolge des Kreislaufs der Erschaffung durchführen. Möglichkeiten gibt es hier sehr viele.

Für uns Westler ist es manchmal nicht einfach, uns ein so fremdartiges Modell wie die Lehre von den Fünf Wandlungsphasen wirklich anzueignen, d. h. zu einem tiefen Verständnis davon zu gelangen und dies auch umzusetzen. Meist braucht es viel Zeit und Geduld für einen solchen Prozeß. Trotzdem oder gerade deshalb lohnt sich aber die Beschäftigung damit und führt – dies ist halt der Weg (Dao) – im Laufe der Zeit zu immer größerer Klarheit! Bleiben Sie dran und Sie werden merken, daß ein Schritt dem anderen folgt. Wie die Jahreszeiten aufeinanderfolgen, so können auch wir keinen Schritt überspringen oder auslassen, wenn wir wieder mehr über die Natur und uns selbst erfahren wollen.

Die »Energien im Körper«: Das Konzept des Qi

Die Bedeutung des Begriffes Qi

Das chinesische Schriftzeichen für Qi hat verschiedene Bedeutungen, je nach dem, in welchem Zusammenhang es gebraucht wird. Ursprünglich bedeutete Qi soviel wie »Dampf, der aus gekochtem Reis aufsteigt«. Dieses Bild verdeutlicht sowohl den Yang-Aspekt des Qi – das Aufsteigen des Dampfes – als auch den nährenden Yin-Aspekt – den gekochten Reis, und gibt uns damit schon einen Hinweise auf einige der Funktionen und Aufgaben des Qi.

Weitere Übersetzungen für den Begriff Qi sind »Dampf«, »Kraft«, »Vitalität«, »Energie«, »Atem«, »Lebenskraft«, »Lebensenergie« u. ä.. In alten philosophischen Werken findet man Erläuterungen wie z. B.: »Qi ist der Ursprung allen Lebens« oder »Etwas, dessen Form und Stoff nicht zu sehen ist, das aber diese – wechselseitig bewegend – beeinflußt.« Für unsere Begriffe sind das freilich keine sehr klaren Definitionen, und Sie werden sich wahrscheinlich auch nach diesen Erklärungen noch immer fragen, was dieses Qi denn nun eigentlich genau ist.

Interessanterweise hat es die Chinesen bis vor wenigen Jahren überhaupt nicht interessiert, was Qi ist. Sie sind vielmehr der Frage nachgegangen, wie es funktioniert und wie man es sinnvoll nutzen und anwenden kann – eine völlig andere Herangehensweise an eine Sache, als wir dies gewohnt sind. An einer solchen Stelle manifestiert sich ein deutlicher Unterschied zwischen dem chinesischen und unserem westlichen Denken, der uns immer wieder Verständnisprobleme beschert. Es gibt zur Zeit also noch keine in unserem Sinne schlüssige Erklärung dafür, was Qi ist, aber es gibt seit Jahrtausenden erprobte und immer wieder verbesserte Methoden, Qi wahrzunehmen und sich zunutze zu machen. Um aber auch im Westen eine Anerkennung ihres Medizinsystems zu erreichen, forschen die Chinesen seit wenigen Jahren intensiv nach wissenschaftlichen Erklärungen. So ist es ihnen gelungen, Qi als eine Form elektromagnetischer Wellen nachzuweisen. Den Nachweis für die Leitbahnen, in denen es fließt, konnten sie aber bisher noch nicht erbringen.

Wichtig für eine Annäherung an die Vorstellungswelt, die mit dem Begriff des Qi verbunden ist, erscheint mir der Hinweis darauf, daß sich hinter diesem Begriff sowohl eine physikalische als auch eine geistig-seelische Komponente verbergen. Die häufig angewandten Übersetzungen »Lebenskraft« oder »Energie« bergen die Gefahr in sich, letzteres zu vernachlässigen und sich nur auf der physikalischen Ebene zu bewegen. Unser altgermanisches Wort »Odem« hatte ebenfalls diesen weitergehenden Bedeutungsinhalt und verband den rein physikalischen Atem (als Materie, als festen Stoff) mit einer darüber hinausgehenden geistig-seelischen Komponente. Wenn wir diesen geistig-seelischen Aspekt nicht miteinbeziehen, verfehlen wir den ganzheitlichen Ansatz der Chinesischen Medizin, in der Körper und Geist als Einheit betrachtet werden.

Qi kann sich in unterschiedlichen Formen manifestieren. Ich möchte Ihnen dies an einem Beispiel aufzeigen: Nehmen Sie unseren Rohstoff Erdöl. Aus diesem Rohstoff werden die unterschiedlichsten Produkte hergestellt. Durch Reinigungsprozesse und Zugaben anderer Stoffe entstehen z. B. Heizöl, Dieselkraftstoff, Benzin, Flugbenzin u. v. m . Auch in Produkten wie unseren Plastiktaschen ist der Grundstoff Öl.

Ähnlich ist es mit dem Qi. Es gibt das »Kosmische Qi«, welches alle Dinge durchdringt. Durch leichte Veränderungen und verschiedene Prozesse entstehen verschieden Formen von Qi. Im menschlichen Körper fließt das Qi auf vielen, miteinander verwobenen und verbundenen Kanälen, Leitbahnen oder Meridiane, genannt. Durch diese Kanäle fließt die Energie in uns und durchströmt unseren Körper von oben nach unten, von innen nach außen und von rechts nach links. Jeder Teil des Körpers wird mit Qi versorgt und steht in Verbindung und Abhängigkeit zu anderen Körperteilen. Wir werden uns in einem gesonderten Kapitel noch näher mit diesen Leitbahnen beschäftigen (siehe Seite 52 ff.).

Qi ist nicht zu sehen oder zu riechen, nichtsdestotrotz existiert es. In gewisser Hinsicht kann man es mit der Luft, die wir atmen, vergleichen. Auch unsere Atemluft können wir nicht sehen und riechen, und trotzdem ist sie vorhanden und wirkt. Ohne die Luft zum Atmen wäre unser Leben undenkbar. Ebenso ist es mit dem Qi. Auch wenn Sie es nicht mit den Sinnesorganen wahrnehmen können, ist es doch nichts Geheimnisvolles, denn Sie können lernen, es zu spüren und wahrzunehmen. Über diesen Weg der Erfahrung haben die Chinesen einen Großteil ihres Wissens erlangt – und dies schon vor Jahrtausenden.

Für sie ist ein harmonisch, gleichmäßig und kräftig fließendes Qi die Voraussetzung für eine gute Gesundheit. Entstehen Störungen im Qi-Fluß, kommt es zu Beschwerden, Schmerzen und letztlich zu Krankheiten. Fließt das Qi gar nicht mehr, bedeutet dies unseren Tod. Deshalb muß es das wichtigste Bestreben der Chinesischen Medizin sein, das Qi zu stärken oder zu harmonisieren. So ist die Diagnostik darauf ausgerichtet, Störungen des Qi – seien es nun Schwäche- oder Füllezustände oder Blockaden – zu erkennen, während alle Therapieformen darauf abzielen, den harmonischen Fluß des Qi wiederherzustellen.

Vorgeburtliches und nachgeburtliches Qi

Wie bereits erwähnt, gibt es unterschiedlich Arten des Qi. Auf eine erste Einteilung des menschlichen Qi möchte ich jetzt näher eingehen. Die Chinesen unterscheiden vorgeburtliches und nachgeburtliches Qi. Das vorgeburtliche Qi entsteht schon bei der Zeugung eines Kindes durch die Vereinigung von Mann (Yang) und Frau (Yin). Dieses Qi ist nicht erneuerbar und bildet den Grundstock unseres Lebens. In gewisser Hinsicht ist diese Idee des vorgeburtlichen Qi vergleichbar mit unserer Vererbungslehre.

Ab dem Zeitpunkt der Geburt erzeugt der Mensch eigenes, sogenanntes nachgeburtliches Qi. Dieses wird aus der Atemluft und vor allem aus der Nahrung gewonnen und entsprechend verarbeitet, verfeinert und umgewandelt. Abfallprodukte dieses Prozesses werden ausgeschieden. Auch hier sind Körper, Geist und Seele beteiligt. Neben guter Luft und gesunder Nahrung spielen auch die soziale Umgebung und die eigene psychische Verfassung eine sehr wichtige Rolle. Wer seine Nahrung gut verwerten will, muß nicht nur wertvolle Nahrungsmittel zu sich nehmen, sondern auch in Ruhe essen, ohne sich währenddessen zu ärgern oder schwerwiegende Probleme zu wälzen. Auch die Luft können wir besser aufnehmen, wenn unser Gemütszustand ausgeglichen ist.

Wenn wir mit unserem nachgeburtlichen Qi gut haushalten, d. h. es nicht durch ungesunde Lebensführung wie z. B. zu viel Streß, Nikotin, Alkohol, übermäßiges Essen oder exzessiven Sex vergeuden, können wir unser vorgeburtliches Qi, das den Lebensplan (damit auch die Lebensdauer) beinhaltet, schonen und länger und gesünder leben, weil zuerst das nachgeburtliche Qi verbraucht wird.

Allerdings geht dies auch nicht ewig, denn selbst bei sorgsamster Lebensführung wird immer auch ein Teil des vorgeburtlichen Qi aufgezehrt. Der Traum vom ewigen Leben läßt sich – zumindest in dieser Form – also nicht verwirklichen. Ist das vorgeburtliche Qi verbraucht, tritt der Tod ein.

Durch den Aspekt des nachgeburtlichen Qi haben wir allerdings sehr viele Möglichkeiten, selbst etwas für unsere Gesundheit und unsere Lebensspanne zu tun. Je eher wir dies begreifen und danach handeln, um so besser.

Einflüsse auf das vorgeburtliche und das nachgeburtliche Qi

Bei der Zeugung und Entstehung des Fötus wird uns das soge-nannte Jing-Qi von unseren Eltern mitgegeben. Ergänzt wird diese Energie durch das Yuan-Qi, welches wir während der Schwanger-schaft von der Mutter erhalten. Mit dem ersten Atemzug beginnen wir, selbst Energien aufzunehmen und zu verarbeiten. Dieses ge-schieht über die Atemluft (Himmels-Qi) und zum größten Teil über die Nahrung (Erd-Qi).

Vorgeburtliches Qi	Nachgeburtliches Qi
Jing-Qi (Wesens-Qi)	Gu-Qi (Erd-Qi)
Yuan-Qi (Uranfangs-Qi)	Ta-Qi (Himmels-Qi)

Ist das vorgeburtliche Qi, das Qi der Eltern, stark und kräftig, so wird dies natürlich auch entsprechend an die Kinder weiterge-geben. Ist das Qi der Eltern aber schon schwach, wie soll dann das Kind ein gut entwickeltes Qi mitbekommen? Für Menschen, die Kinder bekommen wollen, bedeutet dies, daß sie schon vor der Zeu-gung eines Kindes auf eine gute Gesundheit achten sollten, damit das Kind die Chance hat, ebenfalls stark und kräftig zu werden.

Aus diesem Grund bereiten sich manche chinesischen Ehepaare zwei Jahre lang auf die Zeugung ihres Kindes vor. Sie essen nur hochwertige Lebensmittel, verausgaben durch bestimmte Sexual-praktiken nicht die Sexualkraft des Mannes, schlafen ausreichend, praktizieren Qigong und vermeiden jegliche Ausschweifungen, ins-besondere den Konsum jedweder Drogen. Wir brauchen diese Pra-xis ja nicht in dieser strengen Form übernehmen, aber ich denke, es wäre durchaus sinnvoll, einen Teil dieser Ideen und Praktiken auf-zugreifen. Dies geschieht ja nicht nur zum Wohl des Kindes, son-dern dient natürlich auch unserer eigenen Gesundheit. Spätestens während der Schwangerschaft sollte allerdings unbedingt auf eine gesunde Lebensführung geachtet werden, da der Fötus ja völlig von der Mutter abhängig ist. Nach dem Verständnis der Chinesischen Medizin ist der Mensch erst nach der Geburt in der Lage, eigenes Qi zu bilden und aufzubauen.

Wenn das gerade geborene Kind anfängt, aus der Nahrung und der Luft eigenes Qi aufzunehmen und zu verarbeiten, sind gesunde Luft und qualitativ hochwertige Nahrung natürlich besonders wichtig. Je besser diese Komponenten sind, um so besser ist auch die Gesundheit des Kindes. In dieser Zeit werden die Grundsteine für das Leben gelegt, aber wir sollten natürlich auch in späteren Abschnitten auf eine gesunde Lebensführung achten. Näheres zur chinesischen Ernährungslehre, die hier eine entscheidende Rolle spielt, erfahren Sie im dritten Teil dieses Buches.

Die drei Schätze – Jing, Qi und Shen

Das Konzept der »drei Schätze« entstammt der daoistischen Tradition. Auch hier geht es um eine Einteilung des Qi. Die drei Schätze Jing, Qi und Shen entspringen aus ein und derselben Quelle und sind untrennbar miteinander verwoben und verbunden. Sie beeinflussen sich gegenseitig und stehen in enger Beziehung zueinander.

Josefine Zöller, eine Ärztin aus Berlin, die jahrelang in China lebte und dort als eine der ersten Westlerinnen Chinesische Medizin studierte, beschrieb die drei Schätze in ihrem Buch »Das Tao der Selbstheilung« folgendermaßen:«Der Beginn des Menschenlebens, allen Lebens, ist eine Funktion der Materie, (Jing – der Autor), die Energie dazu liefert das Qi, die innere Leitung hat das Shen, das die Materie beseelt.«

Jing – die Essenz des Lebens

Jing wird verstanden als Grundlage der menschlichen Existenz. Es bildet den Baustein, das Material, für den menschlichen Körper (seine Form also). Es beinhaltet die Informationen, die in der Samenzelle des Mannes und der Eizelle der Frau zu finden sind, und ist in dieser Hinsicht vergleichbar mit unserer Vorstellung von genetischen (vererbbaren) Informationen. Es umfaßt sowohl Material (Yin, Stoffliches) als auch Information (Yang, Energetisches).

»Das Jing ist des Lebens Quelle«, heißt es dazu in einem alten medizinischen Werk aus China. Aus daoistischer Sicht sollte man

47

sparsam mit dem Jing umgehen, da es nur begrenzt im Körper vorhanden und nicht erneuerbar oder auffüllbar ist. Frauen sollten während der Menstruation nicht zu viel Blut verlieren und außerdem nicht zu viele Kinder bekommen, da dabei zu viel Jing verloren geht und dies Beschwerden und Krankheit nach sich ziehen kann.

Männer, bei denen das Jing im Samen lokalisiert ist, sollten besonders ab dem 40. Lebensjahr nicht zu häufig Samen verlieren, um ihr Jing zu bewahren und damit Krankheiten vorzubeugen. Die Daoisten haben deshalb viele Techniken zur Beherrschung bzw. Vermeidung des Samenergusses entwickelt, bei denen der Mann einen sogenannten trockenen Orgasmus bekommt.

Obwohl das Jing nicht auf direktem Wege aufzufüllen ist, besteht, wie bereits erwähnt, die Möglichkeit, über eine gesunde Lebensführung das nachgeburtliche Qi zu stärken, damit ein entsprechender Überschuß in der Niere gespeichert werden kann und einer frühzeitigen Leerung des Jing entgegenwirkt. Eine solche frühzeitige Erschöpfung des Jing zeigt sich in einer welken Gesichtsfarbe, frühzeitig ergrautem Haare oder Haarausfall. Über gesunde, vollwertige Ernährung, Vermeidung von Samen- und Blutverlust, möglichst wenig Streß, ein Leben im Einklang mit der Natur, Atemübungen und ähnliches können auch Sie, liebe Leserinnen und Leser, Ihr Jing bewahren und sich vor Krankheit und kurzer Lebensdauer schützen.

Qi – die bewegende Lebensenergie

Über den zweiten Schatz, das Qi, haben Sie ja bereits eine ganze Menge erfahren. Qi ist die Energiequelle des Lebens. Im Kontext der drei Schätze umfaßt es den nicht sichtbaren Teil des Ganzen und steht oftmals für Bewegung im menschlichen Körper.

Qi wird tagtäglich aufgenommen und verbraucht. Ein reibungsloser Ablauf dieser Prozesse sorgt dafür, daß wir in der Lage sind, unsere Aufgaben zu erfüllen. Qi versorgt die Organe und alle weiteren Körperteile mit Kraft.

Auf die Aufnahme von Qi durch Nahrung und Luft bin ja bereits ausführlich eingegangen. Da wir aber auch verbrauchtes Qi abgeben müssen, sollte auch dieser Aspekt, z. B. durch entsprechende Atemübungen, unterstützt werden. Hierzu sei erwähnt, daß Qi nicht nur über die Lunge aufgenommen und ausgeschieden wird. Auch die Haut ist ein wichtiges Organ zum Austausch von Qi. Das Qigong, die chinesische Heilgymnastik, fördert u. a. diese Austauschprozesse und unterstützt die Aufnahme von frischem Qi und den Ausstoß von verbrauchtem Qi.

Shen – der steuernde Geist

Shen ist eine höhere Form von Energie und befähigt Qi und Jing zu ihren Funktionen. Die gängige Übersetzung von Shen als »Geist« gibt nur einen kleinen Teil dessen wieder, was den gesamten Bedeutungsgehalt dieses Begriffes ausmacht. Unser Denken und unser Bewußtsein hängen eng mit dem Shen zusammen, aber auch unser Unbewußtes wird über ihn geregelt. Er steht in gewisser Hinsicht über den Dingen und steuert alle Abläufe in Körper, Geist und Seele. Um dies tun zu können, benötigt Shen aber die Stofflichkeit, also das Vorhandensein von Jing, und die bewegende Kraft des Qi. Alle drei bedingen einander und sind nicht zu trennen.

In der Chinesischen Medizin wird Shen nochmals unterteilt in einen »vorgeburtlichen« (Yuan-Shen) und einen »nachgeburtlichen« (Shi-Shen) Teil. Der erste Aspekt umfaßt die Steuerung der biologischen Funktionen, die Regelung der spontanen Reaktionen und Inspirationen und äußert sich in den Grundbedürfnissen. Er ist auch für die Regelung der Atmung oder das Herz-Kreislauf-system zuständig und bestimmt die Beziehung zwischen innen und außen.

Im Laufe unseres Lebens wird der Einfluß des nachgeburtlichen Aspektes immer stärker. Der erworbene, anerzogene Geist regelt das überlegte Handeln, die Vernunft, das Planen und Analysieren. Er richtet sich nach außen. Eine zu starke Fixierung auf Erfolg, Macht oder Geld ist auf einen zu starken Einfluß des nachgeburt-lichen Shen zurückzuführen. Idealerweise sollten beide Aspekte des Shen ausgewogen, besser noch der vorgeburtliche Geist stärker sein.

Es gibt aber auch die Möglichkeit, den vorgeburtlichen Shen über den nachgeburtlichen zu stärken, indem wir es lernen, unsere Gedanken zu konzentrieren und unsere Vorstellungskraft zu bündeln und zu leiten. Auf diese Weise fördern wir den vorgeburtlichen Geist und verringern die negativen Einflüsse des nachgeburtlichen Geistes. Durch behutsame, tägliche Übungspraxis wird der vorgeburtliche Geist langsam wieder stärker und kann seine Aufgabe – die Regelung der Organsysteme – wieder wahrnehmen, ohne vom nachgeburtlichen Geist zu sehr gestört zu werden. Langsam aber sicher erlangen wir dann den Zustand, den Laozi als »Leere des Geistes« beschrieben hat. Der Geist wird klarer und läßt sich nicht mehr so leicht von den unwichtigen Dingen und Gedanken ablenken. Wir beginnen, die wichtigen Dinge des Lebens wieder mehr in den Vordergrund zu rücken und uns nicht ständig von unwichtigen Dingen ablenken zu lassen. Wir sind nicht mehr so sehr nach außen gerichtet, sondern lenken unseren Blick immer weiter nach innen. Beim Qigong wird genau dieser Aspekt der Stärkung des vorgeburtlichen Geistes betont, weil die Selbstheilungskräfte des Körpers dadurch gestärkt werden und sich Beschwerden oder Leiden vermindern oder ganz beheben lassen – und das sogar ohne fremde Hilfe, nur durch Arbeit mit unserem eigenen Qi.

Die Körpersubstanzen in der Chinesischen Medizin

Qi	*Energie*
Xue	*Blut*
Jing	*Essenz*
Shen	*Geist*
Jin Ye	*Körperflüssigkeiten*

Ich möchte Ihnen jetzt in Kürze die Begriffe der Chinesischen Medizin für die Körpersubstanzen darlegen. Drei dieser Begriffe kennen Sie bereits – Jing, Qi und Shen –, und auf diese werde ich deshalb nicht mehr näher eingehen. Die anderen – Xue (Blut) und Jin Ye (Körperflüssigkeiten) – bedürfen vor allem deshalb einer Erläuterung, weil man sie aufgrund der Übersetzungen häufig mit Begriffen aus unserer Schulmedizin vermischt. Um Verständnisprobleme zu vermeiden, hier also ein paar Worte zu diesen beiden Substanzen, bevor ich Sie mit den hauptsächlichen Funktionen der einzelnen Substanzen vertraut mache.

Der als Blut übersetzte Begriff Xue umfaßt sehr viel mehr als das, was wir unter Blut verstehen. Auch das Xue hat einen energetischen Aspekt und reduziert sich keineswegs auf seine materielle Seite, die rote Flüssigkeit, die in unseren Adern fließt. Und auch den Körperflüssigkeiten oder Körpersäften, die wir aus unserer Medizin kennen, liegt ein völlig anderes Konzept zu Grunde als den Jin Ye in der Chinesischen Medizin. Unter Jin Ye versteht man im Chinesischen nämlich die Körpersekrete wie z. B. Tränen, Schweiß, Speichel, Milch, Nasensekrete u. ä.

Seien Sie an dieser Stelle also noch einmal gewarnt, mit westlichen Vorstellungen an die Chinesische Medizin heranzugehen. Sie werden diese Medizin nur verstehen, wenn Sie sich darauf einlassen, »chinesisch zu denken«. Wenn Sie versuchen, Erklärungen aus unserem Medizinsystem auf die Chinesische Medizin zu übertragen, werden Sie ihr nicht gerecht, sondern fordern Mißverständnisse geradezu heraus.

Die wichtigsten Funktionen der Körpersubstanzen

Kommen wir nun zu den wichtigsten Funktionen und Aufgaben, die den Körpersubstanzen von der Chinesischen Medizin zugesprochen werden. Es geht mir hier nicht darum, Ihnen diese im einzelnen zu erläutern. Die nachfolgende Tabelle soll Ihnen lediglich exemplarisch verdeutlichen, daß die Chinesische Medizin über sehr detaillierte Vorstellungen von unserem Körper und den ihm innewohnenden Prozessen besitzt, die der Therapeut bei der Diagnose

Substanz		Aufgaben	Funktionskreis (Organ)
Qi	(Energie)	bewegt, erwärmt, schützt, wandelt um, ernährt	Milz, Lunge, Niere
Shen	(Geist)	belebt Körper und Geist	Herz
Jin Ye	(Körperflüssigkeiten)	befeuchtet, ernährt	im ganzen Körper
Xue	(Blut)	ernährt, befeuchtet	Milz, Herz, Leber
Jing	(Essenz)	kontrolliert Entwicklung, Wachstum und Reproduktion	Niere

und Therapie entsprechend umsetzen kann, um Entgleisungen, Beschwerden und Krankheiten zu erkennen und zu heilen.

Bedenken Sie bitte bei dieser Auflistung, daß Konzepte – und dies gilt generell – nicht unbedingt den wahren Ablauf innerer Körperprozesse beschreiben müssen. Sie dienen in erster Linie dazu, dem Anwender solcher Konzepte, Methoden an die Hand zu geben, die es ihm ermöglichen, die Beschwerde oder Krankheit zu erkennen, einzuordnen und zu behandeln. Die Chinesische Medizin jedenfalls hat bereits hinlänglich bewiesen, daß ihre Konzepte in dieser Hinsicht funktionieren und sie große Behandlungserfolge vorzuweisen hat. – Und letztlich ist es doch das, was uns als Patienten in der Hauptsache interessiert.

Das Leitbahnsystem

Im vorangegangen Kapitel war des öfteren vom Fluß des Qi die Rede, und vielleicht haben Sie sich ja schon gefragt, auf welche Weise, nach welchen Gesetzmäßigkeiten das Qi denn wohl durch den Körper fließt. In diesem Kapitel möchte ich Ihnen die Transportwege des Qi, das Leitbahnsystem (chin. Jing Luo), vorstellen. All diese Bahnen, in denen das Qi durch den Körper strömt, auch Meridiane genannt, sind miteinander verzweigt, auf vielfältige Weise verbunden und sorgen dafür, daß der gesamte Körper bis hin zu jeder einzelnen Zelle mit Energie (und Blut) versorgt wird.

Der Schwerpunkt dieses Kapitels liegt auf der Darstellung der zwölf Hauptleitbahnen. Neben Abbildung, denen Sie die genauen Verläufe der Leitbahn entnehmen können, finden Sie hier einige wichtige Hinweise zu jeder einzelnen Leitbahn. Sie erhalten insbesondere Informationen über die Aufgaben der Leitbahn und die Störungen, die sich entwickeln können, wenn die Leitbahnen diese nicht ausreichend erfüllen. Außerdem gebe ich Ihnen einen Einblick in die Behandlungsmöglichkeiten der entsprechenden Funktionskreise. Auf die Darstellung einzelner Reizpunkte (Akupunkturpunkte) möchte ich an dieser Stelle verzichten. Im Kapitel über chinesische Massagetechniken werden Sie einige Punktbeschreibungen finden, die Sie für die Durchführungen der dort beschriebenen Massagen brauchen.

Bevor ich mit der Darstellung der einzelnen Leitbahnen beginne, möchte ich Ihnen jedoch zum Einstieg den großen Energiekreislauf des Qi im menschlichen Körper vorstellen.

Der große Energiekreislauf

Im Brustkorbbereich (Lunge) entsteht das sogenannte Wahre Qi (näheres hierzu siehe Seite 73 ff.) und wird von dort in die Leitbahnen geschickt wird. Der Qi-Kreislauf beginnt also im Brustkorb. Von dort aus fließt es auf den drei Yin-Leitbahnen der Hand über die Innenseite der Arme bis in die Fingerspitzen.

Hier wechselt es auf die Außenseite der Arme und fließt von den Fingerspitzen aufwärts über die drei Yang-Leitbahnen der Hand zum Kopf.

Am Kopf befinden sich wiederum einige Umschlagplätze für das Qi. Es fließt von dort aus in den drei Yang-Leitbahnen des Fußes über den Rücken und die Rückseite der Beine zu den Zehen.

An den Zehen wechselt dann das Qi letztmalig und steigt an der Innenseite der Beine in den drei Yin-Leitbahnen des Fußes auf zum Brustkorb, wo der Kreislauf wieder von vorne beginnt.

Dieser gesamte Kreislauf des Qi durch die zwölf Hauptleitbahnen wird auch »Großer Energiekreislauf« genannt. Insgesamt durchläuft das Qi diesen Kreislauf 25 mal pro Tag und ebenso häufig in der Nacht. Ein kompletter Durchlauf durch den Körper dauert also nicht ganz dreißig Minuten.

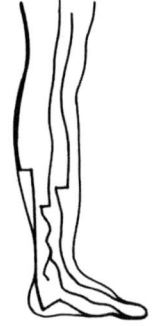

Die 12 Hauptleitbahnen

Kommen wir jetzt zur Einzeldarstellung der zwölf Hauptleitbahnen und einigen Informationen zu ihren Aufgaben und krankhaften Entgleisungen sowie zu den Behandlungsmöglichkeiten. Es geht mir hier nicht um Vollständigkeit, sondern lediglich um einen beispielhaften Überblick. In der Regel werden während einer Behandlung Punkte verschiedener Leitbahnen genadelt.

Die Reihenfolge der Darstellung entspricht dem Durchfluß des Qi, das in drei sogenannten Umläufen durch den Körper fließt. Jeder Umlauf umfaßt zwei Yin- und zwei Yang-Leitbahnen und beginnt am Oberkörper mit einer der drei Yin-Leitbahnen, die an den Arminnenseiten nach unten verlaufen. Über eine Yang-Leitbahn verläuft es an den Armaußenseiten wieder nach oben bis zum Kopf. Dort angekommen, wird es ebenfalls über Yang-Leitbahnen über die Rückseite bzw. die Seiten des Rumpfes und der Beine zu den Füßen geleitet, und von dort aus gelangt es entlang der Innenseiten der Beine und über die Vorderseite des Rumpfes wieder in den Brustbereich.

Ein Umlauf beginnt also immer mit einer Yin-Leitbahn, der zwei Yang-Leitbahnen und wiederum eine Yin-Leitbahn folgen. Dabei stehen die erste Yin- und die erste Yang-Leitbahn sowie die zweite Yang- und die zweite Yin-Leitbahn in besonders enger Verbindung zueinander, weshalb man hier auch von Paaren spricht.

Die Lungenleitbahn

Die Lungenleitbahn, eine Yin-Leitbahn, beginnt seitlich des Brustkorbes unter dem Schlüsselbein, verläuft an der Innenseite des Armes nach unten und endet an der äußeren Nagelwurzel des Daumens. Verzweigungen dieser Leitbahn gehen zur Kehle, zur Lunge und in den Bauchraum.

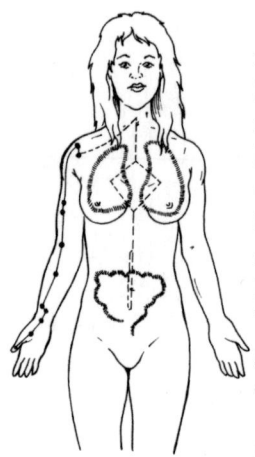

Über die Lungenleitbahn können mittels Akupunktur und Moxibustion eine ganze Reihe von Beschwerden und Krankheiten behandelt werden. Sehr häufig eingesetzt wird sie bei Beschwerden im Bereich der Lunge, bei Erkältungskrankheiten und bei entzündlichen Erkrankungen im Kopfbereich. Weiterhin können Probleme und Schmerzen, die im Verlauf der Leitbahn liegen, mit einer Behandlung der Lungenleitbahn angegangen werden, d. h. also Störungen des Bewegungsapparates, insbesondere der Schultern und Ellbogen. Eine weitere Indikation sind psychische Störungen wie Trauer oder Depressionen. Und schließlich lassen sich über die Lungenleitbahn Windschädigungen (siehe hierzu: krankheitsauslösende Faktoren, Seite 76 ff.) zerstreuen und ausleiten.

Beim Qigong sammelt man häufig die Vorstellungskraft im Punkt »Shaoshang« (Junges Yang) am Daumen, und auch der Punkt »Yunmen« (Tor der Wolken) am Schlüsselbein kommt öfters zum Einsatz.

Die Dickdarmleitbahn

Von der Lungenleitbahn fließt das Qi in die am engsten mit ihr verbundene Yang-Leitbahn, die Dickdarmleitbahn. Diese steigt, beginnend an der inneren Nagelwurzel des Zeigefingers, an der Außenseite des Armes auf, verläuft weiter über Schulter und Hals, und endet neben den Nasenflügeln.

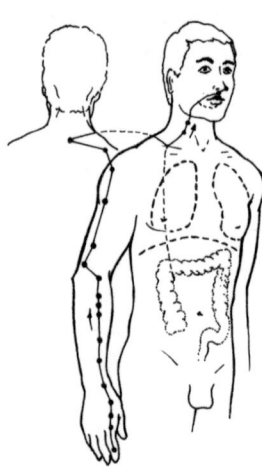

Als Yang-Leitbahn eignet sich die Dickdarmleitbahn mit ihren 20 Punkten eher zur Behandlung oberflächlicher Erkrankungen. Da sie die Yang-Komponente der Lungenleitbahn ist, sind hiermit in erster Linie Beschwerden der Haut und der Schleimhaut gemeint. Somit wird eine Nadelung dieser Leitbahn häufig bei Erkältungsbeschwerden und bei allen Hauterkrankungen angewandt. Außerdem sind einige Punkt auf der Dickdarm-Leitbahn sehr wirksam bei Schmerzen.

Für das Qigong spielt insbesonder der vierte Punktes dieser Leitbahn, »Vereinte Täler« (chin. Hegu) genannt, der sich auf dem Handrücken zwischen Daumen und Zeigefinger befindet, eine große Rolle.

Bei der Massage können sowohl der »Hegu«-Punkt als auch der letzte Punkt der Dickdarm-Leitbahn, »Empfangen der Wohlgerüche« (chin. Yingxiang) genannt, am unteren Rand der Nasenflügel sehr wirkungsvoll eingesetzt werden.

Die Magenleitbahn

Der Weg des Qi geht weiter in die Magenleitbahn. Diese beginnt in der Mitte des unteren Augenhöhlenrandes. Sie durchzieht Gesicht, Hals, Brust und Bauch und verläuft an der Vorderseite des Beines bis zur äußeren Nagelwurzel der zweiten Zehe, wo sie endet. Es besteht eine innere Verbindung zum Magen.

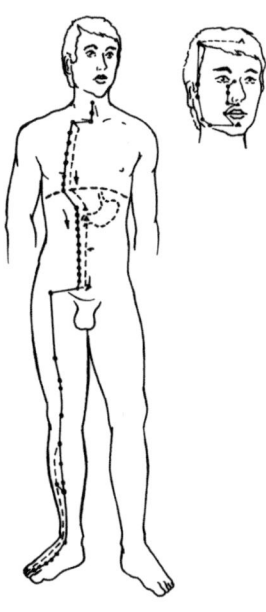

Die Magenleitbahn hat 45 Akupunkturpunkte, über die auf das energetische Geschehen eingewirkt werden kann. Viele Punkte haben Wirkungen auf das lokale Geschehen im Bereich des Leitbahnverlaufes, also z. B. am Kopf, an der vorderen Rumpfseite und an den Beinen. Aber wir finden auf dieser Leitbahn auch einige sehr wichtige Punkte, die auf das Gesamtgefüge unserer Energien wirken. Natürlich werden auch Magen- und Verdauungsbeschwerden über diese Leitbahn behandelt. Gerne angewandt wird sie außerdem bei genereller Schwäche, Müdigkeit oder Abgeschlagenheit, bei Beschwerden also, die wir in unserer Gesellschaft immer häufiger finden und bei denen die Schulmedizin keine effektiven Behandlungsmöglichkeiten vorzuweisen hat.

Der 36. Punkt der Magenleitbahn, der »Dritte Weiler am Fuß« (chin. Zusanli), ist einer der einflußreichsten Akupunkturpunkte überhaupt. Er befindet sich eine Handbreit unterhalb der Kniescheibe, etwa einen Fingerbreit seitlich des Schienbeinknochens. Er wird sehr oft und bei ganz unterschiedlichen Beschwerden eingesetzt, da sein Wirkspektrum enorm groß ist. Als generell stärkender Punkt spielt er auch bei der Vorbeugung eine große Rolle. In China sagt man, daß dieser Punkt ab dem 30. Lebensjahr niemals kalt werden sollte, und deshalb wird er oft mit Moxakraut erwärmt. Aufgrund seiner vielseitigen Wirkungen finden wir ihn auch in vielen Qigong- oder Massageübungen wieder.

Die Milzleitbahn

Der erste Umlauf des Qi findet seinen Abschluß in der Milzleitbahn, oft auch »Milz / Pankreas« genannt. Sie beginnt an der inneren Nagelwurzel der großen Zehe und verläuft aufwärts über den inneren Fußrücken, die Beininnenseite, den seitlichen Bauch- und Brustbereich und endet in Höhe der 7. Rippe in der Achsellinie. Verbindungen bestehen zur Zunge und zur Milz.

Auch diese Leitbahn hat tiefgreifende und vielseitige Wirkungen, insbesondere auf unsere »Mitte«, den Bereich des Bauches mit den darin befindlichen Organen Magen, Milz und Bauchspeicheldrüse.

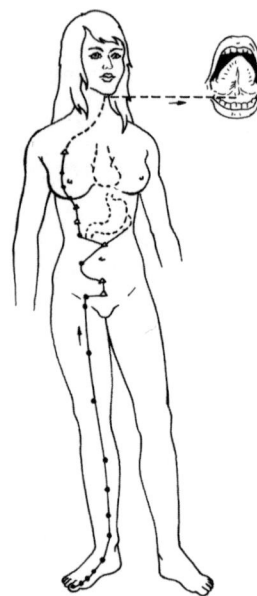
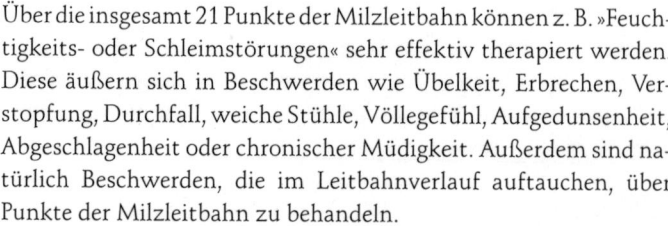

Über die insgesamt 21 Punkte der Milzleitbahn können z. B. »Feuchtigkeits- oder Schleimstörungen« sehr effektiv therapiert werden. Diese äußern sich in Beschwerden wie Übelkeit, Erbrechen, Verstopfung, Durchfall, weiche Stühle, Völlegefühl, Aufgedunsenheit, Abgeschlagenheit oder chronischer Müdigkeit. Außerdem sind natürlich Beschwerden, die im Leitbahnverlauf auftauchen, über Punkte der Milzleitbahn zu behandeln.

Auch hier möchte ich einen wichtigen Punkt exemplarisch herausgreifen. »Die Verbindung der drei Yin« (chin. Sanjinjiao), der sechste Punkt der Milzleitbahn, der eine Handbreit oberhalb des Innenknöchels lokalisiert ist, hat, wie sein Name schon sagt, Verbindung zu den drei Yin-Leitbahnen der Beine und wirkt über diese Verbindung auch stark auf die Leber- und die Nierenleitbahn. Er wird deshalb bei unterschiedlichen Beschwerden im Bereich des Unterleibes und des unteren Rückens eingesetzt.

Auch beim Qigong und bei der Massage wird häufig mit diesem Punkt gearbeitet.

Die Herzleitbahn

Der zweite Umlauf des Qi beginnt in der Herzleitbahn, einer Yin-Leitbahn. Diese tritt in der Achselhöhle nach außen und verläuft an der Innenseite des Arms bis zur äußeren Nagelwurzel des kleinen Fingers. Weitere Verzweigungen gehen zum Herzen, zum Auge und zum Bauchbereich.

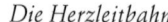
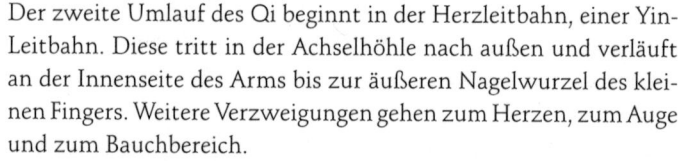
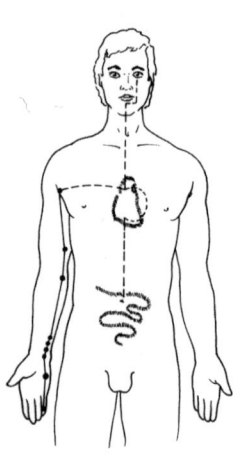

Auf der Herzleitbahn befinden sich neun Akupunkturpunkte. Eine Nadelung ist angezeigt bei Problemen des Herzens, aber auch bei Gehirnproblemen oder Bewußtseinsstörungen, da die Chinesische Medizin diese Bereiche gleichfalls dem Herzen zuordnet. Sie wird eingesetzt bei Schlafstörungen sowie bei psychischen Beschwerden. Sogar psychiatrische Erkrankungen wie z. B. schwere Neurosen, Psychosen oder Schizophrenie werden über Punkte auf der Herzleitbahn behandelt.

Besonders häufig eingesetzt wird der siebte Punkt dieser Leitbahn mit dem poetischen Namen »Breite Straße der Heiterkeit« (chin. Shenmen), der sich an der Kleinfingerseite des Handgelenkes befindet. Er wirkt u. a. harmonisierend bei Stimmungsschwankungen, Ängstlichkeit oder Schreckhaftigkeit.

Es gibt Qigong-Übungen, bei denen das Qi entlang der gesamten Herzleitbahn geführt wird, um so die Durchgängigkeit der Leitbahn zu gewährleisten und auf die o. g. Aspekte einzuwirken. Außerdem werden häufig Drehbewegungen eingesetzt, die den äußeren Rand des Armes, wo die Leitbahnen von Herz und Dünndarm verlaufen, als Achse benutzen.

Bei der Selbstmassage wird mit dem Abklopfen der Arme auf alle Hand-Leitbahnen eingewirkt.

Die Dünndarmleitbahn

Der Yang-Partner der Herzleitbahn ist die Dünndarmleitbahn. Das Qi wechselt zur inneren Nagelwurzel des kleinen Fingers und fließt über die Außenseite der Hand, des Armes, der Schulter und des Halses bis zur Nasenspitze links und rechts.

Über die 19 Einflußpunkte dieser Leitbahn können eher äußere krankmachende Einflüsse behoben werden wie z. B. Infektionskrankheiten. Sehr hilfreich ist die Nadelung auf dieser Leitbahn bei Verspannungen und Verhärtungen im Leitbahnverlauf und dessen näherer Umgebung. Gerade bei den häufig auftretenden Schulter- und Nackenproblemen bietet sich die Dünndarmleitbahn zur Behandlung an. Auch hier gelten Schmerzen, Haut- und Temperaturveränderungen entlang der Leitbahn als Anzeichen energetischer Probleme im Funktionskreis. Aber auch Fieber kann durch entsprechende Nadelung gesenkt werden.

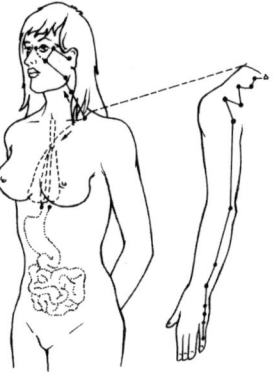

Erkrankungen des Ohres, sonst in der Chinesischen Medizin eher der Niere zugeordnet, können ebenfalls über eine Behandlung der Dünndarmleitbahn behoben werden. So z. B. die immer häufiger anzutreffenden Ohrgeräusche (Tinnitus) oder aber Erkrankungen mit Schwindelanfällen oder Schwerhörigkeit.

Ein therapeutisch sehr interessanter Punkt ist der dritte Punkt der Dünndarmleitbahn mit dem Namen »Hinterer Wasserlauf« (chin. Houxi), der sich an der Handkante befindet. Über diesen Punkt können Rückenschmerzen und Spannungsprobleme des Rückens geheilt werden, da durch seine Stimulierung das Lenkergefäß, das am Rücken entlang der Wirbelsäule verläuft, durchgängig gemacht wird.

Im Qigong wird die Dünndarmleitbahn z. B. durch schneidende Bewegungen mit der Handkante gezielt angesprochen.

Die Blasenleitbahn

Von der Dünndarmleitbahn aus fließt das Qi weiter in die Blasenleitbahn, ebenfalls eine Yang-Leitbahn. Diese beginnt am inneren Augenwinkel und verläuft über die Stirn und den Schädel bis in den

Nacken. Ein Zweig der Leitbahn läuft, in geringem Abstand, parallel zur Wirbelsäule über den hinteren Oberschenkel bis zur Kniekehle. Der andere Zweig zieht vom Nackenbereich aus schräg nach außen und verläuft dann parallel zum ersten Zweig, überzieht das Gesäß etwas nach außen hin, um sich dann, schräg über den hinteren Oberschenkel verlaufend, in der Kniekehle mit dem anderen

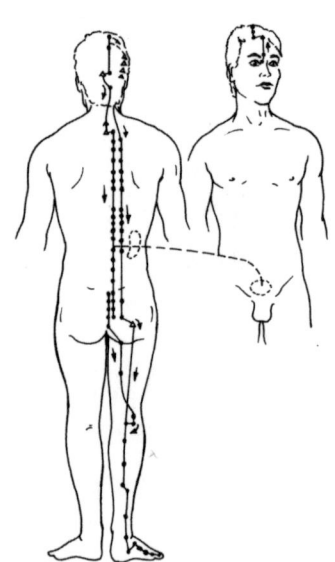

Zweig wieder zu vereinen. Sie verläuft dann weiter seitlich des Unterschenkels bis zum äußeren Knöchel und endet an der äußeren Nagelbettseite der kleinen Zehe. Verbindungen bestehen zur Niere und zur Blase.

Die Blasenleitbahn ist die längste Leitbahn des Körpers und hat 67 Akupunkturpunkte, über die Einfluß genommen werden kann. Natürlich stehen an erster Stelle die vielfältigen Behandlungsmöglichkeiten des Rückens und der Wirbelsäule. Kreuzschmerzen, Lendenprobleme, Verspannungen, Brüche und selbst Bandscheibenvorfälle können über diese Leitbahn wirkungsvoll angegangen werden.

Auf der Blasenleitbahn finden wir die »Shu-Punkte«. Diese Punkte korrespondieren mit allen Organen bzw. Funktionskreisen des Körpers. Die Namen richten sich nach den angesprochenen Organen und lauten z. B. »Herz-Shu« oder »Lungen-Shu«. Über eine Behandlung dieser Punkte kann sehr gut Einfluß auf chronische Geschehen und Erkrankungen in den entsprechenden Funktionskreisen genommen werden. Weitere Einsatzmöglichkeiten: Kopfschmerzen, Fieber und Augenerkrankungen.

Im Qigong findet der 23. Punkt der Blasenleitbahn, der Shu-Punkt des Funktionskreises Niere (chin. Shenshu), der anderthalb Fingerbreit neben der Wirbelsäule, auf Höhe des zweiten Lendenwirbeldornfortsatzes liegt, häufige Anwendung, sei es durch Massage oder durch das Führen der Vorstellungskraft in diese Gegend.

Freilich wirkt auch jede Rückenmassage auf diese Leitbahn ein. Eine andere häufig eingesetzte Massagetechnik ist das Abklopfen der Kniekehlen, das dazu dient, die Ausscheidung von Schlackenstoffen zu fördern.

Die Nierenleitbahn

Mit dem Durchfluß des Qi durch die Nierenleitbahn, eine Yin-Leitbahn, endet der zweite Umlauf des Qi. Ausgangspunkt ist die Fußsohlenmitte. Von hier aus fließt die Energie aufwärts. Dabei wird der innere Fußknöchel umkreist, bevor die Leitbahn an der Innenseite des Beines hoch bis zum Schambein fließt. Von dort verläuft sie seitlich der Mittellinie des Bauches und der Brust bis unter das Schlüsselbein. Verbindungen bestehen zum kleinen Becken, zur Blase, zum Steißbein, zum Rachen, zu den Nieren und zum Unteren Dantian, einem der wichtigsten Energiezentren.

Da der Niere in der Chinesischen Medizin die vorgeburtlichen Energien und die Essenz zugeschrieben werden, greift man mit der Behandlung dieser Leitbahn in tiefste Schichten unseres Körpers ein, aber auch Kreuzschmerzen sind über Punkte der Nierenleitbahn sehr gut zu beeinflussen. Allerdings muß achtsam diagnostiziert und vorsichtig genadelt werden. Gerade weil wir hier innerste Schichten unserer Energie angreifen, kann dieser wichtige Energiespeicher auch geleert werden, wodurch sich die Beschwerden dann verschlimmern können.

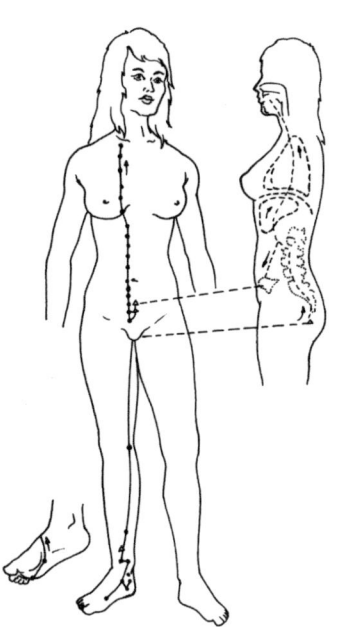

Beim Qigong wird sehr häufig mit dem ersten Punkt der Nierenleitbahn an der Fußsohle, »Emporsprudelnde Quelle« (chin. Yongquan) genannt, gearbeitet. Hier sprudelt die Energie wirklich förmlich, und man stellt darüber eine Verbindung zur Erde her. »Sich verwurzeln« nennt man dies im Qigong, und diese Form der Erdung findet man auch beim chinesischen Schattenboxen, dem Taijiquan. Dadurch kann z. B. auch hoher Blutdruck langsam aber sicher normalisiert werden.

Die regelmäßige Massage der Fußsohle und insbesondere des ersten Punktes der Nierenleitbahn wird in allen Werken zur Chinesischen Medizin als gesundheitsfördernd empfohlen.

Die Herzbeutelleitbahn

Der dritte und letzte Umlauf des Qi startet wieder in den Armen und beginnt mit der Herzbeutelleitbahn. Diese Yin-Leitbahn, die auch als Perikard- oder Kreislauf/Sexus-Leitbahn bekannt ist, tritt seitlich der Brustwarze an die Oberfläche, verläuft dann bogenförmig um die Achsel und weiter an der Innenseite des Armes abwärts, bis sie schließlich am Nagelbett des Mittelfingers endet. Verzweigungen der Leitbahn gehen zum Unterbauch und zum Herzen. Die Herzbeutelleitbahn hat neun Einflußpunkte, die einer Therapie bzw. Einflußnahme zugänglich sind. Wie der Name schon andeutet, besteht eine sehr starke Beziehung zur Herzleitbahn, weshalb sich zum Teil ähnliche oder sich überschneidende Behandlungsmöglichkeiten ergeben.

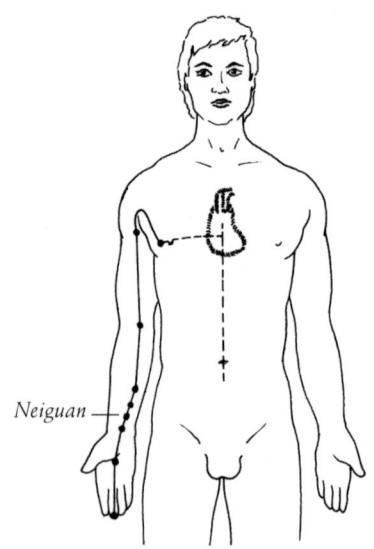

Neiguan

Insgesamt gilt die Leitbahn als »Beschützer des Herzens«, der verhindert, daß krankmachende Einflüsse das Herz direkt angreifen. Diese zeigen sich deshalb oft zuerst an der Herzbeutelleitbahn. Ein Unterschied zwischen Herz- und Herzbeutelleitbahn besteht außerdem darin, daß die Herzleitbahn mehr für die psychisch-emotionale Ebene zuständig ist, während über die Herzbeutelleitbahn eher der direkte Zugriff auf die funktionelle, organbezogene Ebene gegeben ist. Bei Schmerzen in der Brust, und insbesondere bei Herzschmerzen, aber auch bei Kreislaufproblemen ist eine Nadelung der Herzbeutelleitbahn angezeigt.

Das »Innere Paßtor« (chin. Neiguan), der sechste Punkt der Herzbeutelleitbahn, der auf dem Unterarm, zwei Fingerbreit von der Handgelenksfalte entfernt, liegt, nimmt sehr starken Einfluß auf die Energien im Herz bzw. im gesamten Brustkorbbereich. Wenn das Qi dort ins Stocken gerät, kann es durch eine entsprechende Nadelung dieses Punktes sehr gut harmonisiert und abgeleitet werden.

Für das Qigong ist der achte Punkt der Herzbeutelleitbahn, »Mitte des Handtellers« (chin. Laogong) genannt, sicherlich einer der wichtigsten Punkte überhaupt. Dieser Punkt liegt, wie sein Name schon sagt, fast exakt in der Mitte der Handfläche, etwas zur Daumenseite hin. Wird diese Stelle warm oder beginnt zu kribbeln, weiß man, das daß Qi die Handmitte erreicht hat. Außerdem ist dieser Punkt bei den meisten Menschen sehr druckempfindlich, und durch seine hohe Sensibilität kann hier ein Qi-Gefühl meist recht schnell wahrgenommen werden.

Über den Laogong-Punkt wird das Qi auch geführt und gelenkt. Wenn man z. B. massiert oder das Qi eines anderen Menschen leiten möchte, wird dies überwiegend über diesen Punkt gemacht. Im Kapitel zur Massage und Selbstmassage werde ich darauf noch ausführlich eingehen.

Die Drei-Erwärmer-Leitbahn

Von der Herzbeutelleitbahn fließt das Qi weiter in die Drei-ErwärmerLeitbahn. Hier finden wir nun eine Leitbahn, die zu einem

Funktionskreis gehört, den unsere Schulmedizin überhaupt nicht kennt. Sie verläuft von der äußeren Nagelwurzel des Ringfingers über die Außenseite des Armes zur Schulter und zum Hals. Von hier aus zieht sie nach vorne, umkreist dabei das Ohr und endet seitlich der Augenbraue. Eine Verzweigung der Leitbahn geht durch den Brust- und Magenbereich bis unterhalb des Bauchnabels.

Als Yang-Leitbahn der Hand verläuft die Drei-Erwärmer-Leitbahn an der Außenseite der Arme. Über viele ihrer 23 Einflußpunkte lassen sich äußere krankmachende Energien ausleiten. Sie öffnet die Oberfläche und löst den gesamten Energiefluß im Bereich ihres Verlaufes.

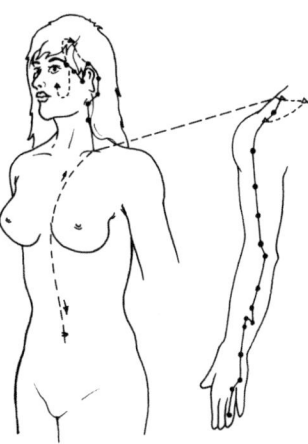

In der Chinesischen Medizin gibt es das Konzept der drei »Brenner« oder »Erwärmer«. Unter dem »Unteren Erwärmer« versteht man den Bereich des Unterbauches und des Beckens mit den darin befindlichen Organen Niere, Blase und einem Teil der Därme. Der »Mittlere Erwärmer« umfaßt die Oberbauchregion und die Organe Magen und Milz, aber auch die Leber und die Bauchspeicheldrüse. Zum »Oberen Erwärmer« gehören der Brustkorb, die Lunge, das Herz und das Gehirn. Zwischen diesen drei Körperregionen und den entsprechenden Organen sollte ein guter, harmonischer Energieaustausch stattfinden, da sich alle drei gegenseitig bedingen und voneinander abhängig sind. Über die Drei-Erwärmer-Leitbahn kann regulierend auf dieses Zusammenspiel eingewirkt werden.

Weiterhin lassen sich über die Drei-Erwärmer-Leitbahn sogenannte »Windschädigungen« (siehe hierzu Seite 76 ff.) zerstreut werden, was z. B. bei Kopf- oder Halsschmerzen von Bedeutung sein kann. Und schließlich können über diese Leitbahn auch Sensibilitätsstörungen behandelt werden wie z. B. Taubheit oder Lähmungen im Gesichtsbereich.

Beim Qigong wird oftmals die gesamte Drei-Erwärmer-Leitbahn genutzt, indem man über die Vorstellungskraft das Qi entlang der Außenseite des Armes sendet. Aber auch der fünfte Punkt der Leitbahn, das »Äußere Paßtor« (Waiguan) finden wir in einigen Qigong-Übungen wieder. Dieser Punkt befindet sich auf der Außenseite des Unterarms, zwei Fingerbreit von der Handgelenksfalte entfernt, also direkt gegenüber dem Punkt »Inneres Paßtor« (Neiguan) auf der Herzbeutelleitbahn.

Er wird auch in der Massage häufig benutzt. Einige Ärzte war-

nen davor, Quarzuhren direkt über diesem Punkt zu tragen, weil
dies ihrer Ansicht nach seine Energie stören kann.

Die Gallenblasenleitbahn

Von der Drei-Erwärmer-Leitbahn wechselt das Qi in die Gallenblasenleitbahn. Diese beginnt am äußeren Augenwinkel und durchzieht zackenförmig den gesamten seitlichen Kopfbereich. Dann
verläuft sie abwärts vom Nacken aus durch das Schultergelenk und
zieht in weiteren spitzen Winkeln über die Außenseite des Brustkorbes, der Hüfte und des Beines bis in die Nagelwurzel der vierten
Zehe. Verbindungen bestehen zum Wangenbereich, zur Gallenblase und zur Leber.

Mit 44 Einflußpunkten bietet die Gallenblasenleitbahn, eine Yang-
Leitbahn, vielseitige Einfluß- und Behandlungsmöglichkeiten, vor
allem bei Störungen und Problemen, wel-
che die Seiten des Körpers betreffen.
Außerdem lassen sich über sie auch
tiefgreifende Energiedisharmonien
beeinflussen, wenngleich die tiefe-
ren Wirkungen über die Leberleitbahn, die mit der Gallenblasenleitbahn gepaarte Yin-Leitbahn, zu
erreichen sind. Sehr gut zu behandeln
sind über die Gallenblasenleitbahn z. B.
Kopfschmerzen, Krämpfe und Verspannungen, wie man sie häufig bei uns an-
trifft. Ihr Verlauf über die gesamte Seite des Kopfes läßt
eine hervorragende Beeinflussung vieler Störungen an
Kopf und Nacken zu, und auch Augen- oder Ohrenpro-
bleme können über die Gallenblasenleitbahn angegangen
werden. Eine wichtige Indikation sind außerdem sogenannte »Windstörungen« (siehe hierzu Seite 76 ff.), die
sich durch grippale Infekte, Schlaganfallsymptome oder
gerötete Augen zeigen.

Einer der wichtigsten Punkte auf der Gallenblasenleitbahn für »Windsymptome« ist der 20. Punkt, »Teich des Win-
des« (chin. Fengchi), der im Nacken, seitlich der Halswirbel-
säule und etwas oberhalb des Haaransatzes in einer Kuhle
zwischen zwei Muskelsträngen liegt.

Beim Qigong gibt es viele sanfte Dehnungsübun-

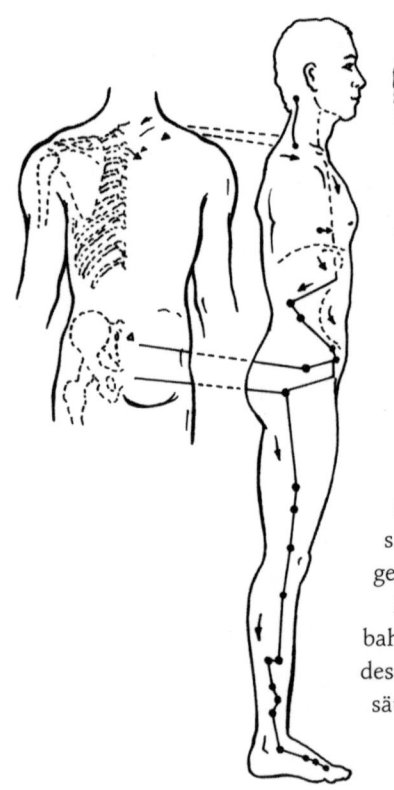

gen, bei denen die Körperseiten gedehnt werden und dadurch auch die Gallenblasenleitbahn durchgängig gemacht wird.

Für die Massage spielen der bereits genannte 20. Punkt sowie der 21. Punkt, genannt »Brunnen der Schulter« (chin. Jiangjing), der sich in einer Vertiefung am höchsten Punkt der Schulter befindet, eine große Rolle, wenn es darum geht, Stauungen des Qi im Nakkenbereich zu vermeiden bzw. aufzulösen.

Die Leberleitbahn

Letzte Station des Qi auf seiner Reise durch die drei Umläufe ist die Leberleitbahn. Diese Yin-Leitbahn beginnt an der äußeren Seite des Großzehnagels und steigt an der Innenseite des Beines auf bis kurz unterhalb der Brustwarze. Verzweigungen gehen zum Unterkörper, zur Leber, zur Gallenblase, aber auch zum Hals- und Mundbereich und zum Auge. Anschließend beginnt der Qi-Kreislauf von vorne, d. h. erneut mit der Lungenleitbahn.

Die Leberleitbahn bietet 14 Punkte, mit denen therapeutisch in bezug auf die Aufgaben des Funktionskreises Leber gearbeitet werden kann. Diese Funktionen gehen weit über die in der Schulzmedizin der Leber zugeordneten hinaus. So ist sie u. a. für die Speicherung des Blutes, die Versorgung der Sehnen und Bänder mit Nährstoffen und für den freien Fluß von Blut und Qi im Körper zuständig, aber auf der psychisch-emotionalen Ebene auch für Entscheidungsfreudigkeit und Phantasie. Entsprechend sind die Behandlungsmöglichkeiten.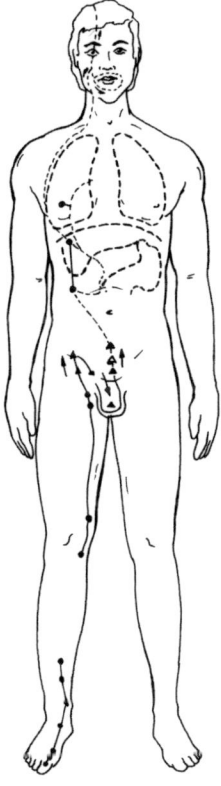

Beschwerden wie Bluthochdruck, Hitzegefühl im Kopf, gestaute Energie im Magenbereich werden klassischerweise einer gestörten Leberfunktion zugeordnet und über die Leberleitbahn behandelt. Aber auch auf Ausscheidungsstörungen oder stechende Schmerzen in der Brust läßt sich über diese Leitbahn einwirken.

Ein sehr effektiver Punkt, der die Energien abkühlen und senken kann, ist der dritte Punkt der Leber-Leitbahn, genannt »Die mächtige große Straße« (chin. Taichong), der sich auf dem Fußrücken zwischen dem Mittelfußknochen der großen Zehe und der zweiten Zehe befindet. Er harmonisiert das energetische Geschehen und ist über eine Nadelung hervorragend zu stimulieren.

Das Qigong kennt Konzentrationsübungen, bei denen die Vorstellungskraft das Qi zu den großen Zehen hin leitet, aber auch solche, die es entlang der Innenseiten der Beine führen. Alle Übungen mit »Beinarbeit« – von denen es beim Qigong sehr viele gibt – sind

63

für sämtliche Funktionskreise, deren Leitbahnen an den Beinen verlaufen, sehr nutzbringend.

Eine Massage des dritten Punktes der Leberleitbahn kann ebenfalls ausgezeichnete Wirkungen erzielen.

Diese knappe Darstellung der zwölf Hauptleitbahnen soll Ihnen lediglich einen kleinen Eindruck von dem großen Wissensschatz der
Chinesischen Medizin vermitteln. Neben den Hauptleitbahnen
existieren viele weitere Gefäße, Netz- und Muskelleitbahnen, auf
die ich jedoch an dieser Stelle nicht weiter eingehen möchte. Alle
Gefäße und Leitbahnen stehen in Verbindung zueinander und wirken auf die vielfältigste Art und Weise auf alle Aspekte des menschlichen Lebens ein.

Die Organuhr

Wir kommen nun zwischendurch zu einem sehr praxisbezogenen
Teil der Chinesischen Medizin, der sogenannten Organuhr. Diese
Organuhr zeigt den Fluß der Energien in unserem Körper an. Die
Chinesen haben herausgefunden, daß das Qi zu bestimmten Zeiten unterschiedlich stark in den einzelnen Leitbahnen zirkuliert.
Jede Leitbahn hat eine Zeit von zwei Stunden, in der ihr Qi-Fluß
am stärksten und eine andere, in der ihr Qi-Fluß am schwächsten
ist. Das heißt, daß alle zwei Stunden eine andere Leitbahn ihre energetische Höchstphase hat. Die Abfolge entspricht dabei dem Qi-
Umlauf, den Sie bereits bei der Darstellung der zwölf Hauptleitbahnen kennengelernt haben.

Auf der Organuhr können Sie ganz einfach ablesen, wie der Qi-
Fluß sich verändert. Wie Sie der Abbildung entnehmen können,
fließt also z. B. das Qi in der Herzleitbahn besonders kräftig in der
Zeit von 11 bis 13 Uhr. Gleichzeitig hat die Gallenblasenleitbahn,
die auf der Uhr genau gegenüber der Herzleitbahn angeordnet ist,
ihren Tiefpunkt.

Von 23 bis 1 Uhr hingegen wird die Gallenblasenleitbahn besonders stark durchströmt, die Herzleitbahn hingegen wird nur wenig
durchströmt.

Beginnen wir mit der genaueren Betrachtung und Erläuterung
der Organuhr um 5 Uhr. Hier beginnt die Zeit, in der die Dickdarm-
leitbahn ihre höchste Energie hat. Somit ist die Zeit zwischen 5 und
7 Uhr die beste Zeit, um zur Toilette zu gehen um Körper und Geist
von Abfallstoffen zu reinigen.

Anschließend, zwischen 7 und 9 Uhr, sollten wir ausgiebig früh-
stücken, da jetzt der Magen, der die Nahrung als erstes inneres
Organ empfängt, die meiste Energie hat. Viele Menschen vernachlässigen jedoch gerade das Frühstück und nehmen ihre größte Ta-
gesmahlzeit abends zwischen 19
und 21 Uhr zu sich – dann, wenn
der Magen am wenigsten Energie
hat. Häufig praktiziert, führt dies
mit hoher Wahrscheinlichkeit zu
Verdauungsproblemen.

Interessant hierbei finde ich, daß
sich dies völlig mit unserem Wissen
deckt. In einem alten Sprichwort
heißt es auch bei uns: »Frühstücke
wie ein König, esse zu Mittag wie
ein Fürst und zu Abend wie ein Bet-
telmann«. Bedauerlicherweise ist
dieses Wissen um die Einhaltung
unserer natürlichen Rhythmen bei
uns weitgehend verloren gegangen.

Die Organuhr kann auch sehr
hilfreich sein bei der Bewertung
und Zuordnung von Beschwerden.
Wenn Sie z. B. nachts immer zur selben Zeit – sagen wir zwischen
1 und 3 Uhr – aufwachen, so kann dies ein Hinweis auf eine energetische Störung in der Leber sein, denn die Leberleitbahn hat in
dieser Zeit ihren energetischen Höhepunkt.

Auch therapeutisch kann man die Organuhr nutzen und z. B. die
Wirkung der Akupunktur dadurch verstärken, daß man eine ge-
schwächten Leitbahn in ihrer energetischen Höchstphase tonisie-
rend (stärkend) akupunktiert. Zur Stärkung der Milz müßte die Nadelung nach diesem Prinzip somit kurz nach 11 Uhr erfolgen.

Auch beim Qigong findet die Organuhr ihre Anwendung, wenn
auch nur noch selten. Übungen, die bestimmte Funktionskreise
stärken, sollten dann regelmäßig zur entsprechenden Zeit ausgeführt werden. So werden heute noch in einigen Sanatorien und
bestimmten Ordensgemeinschaften Atemübungen in der Höchst-
zeit der Lunge, also zwischen 3 und 5 Uhr morgens praktiziert.

Daß wir ab 23 Uhr schlafen sollten, können wie der Organuhr
ebenfalls entnehmen. In dieser Zeit haben Gallenblase und Leber

ihren energetischen Höchststand und sollten ungestört ihrer Aufgabe, dem Planen und Treffen von Entscheidungen, nachkommen.

Wichtig ist abschließend noch, daß Sie den angegebenen Zeiten der Organuhr, bedingt durch die Zeitverschiebung, im Sommer eine Stunde zufügen müssen.

Die Organe und ihre Funktionen

Die Chinesische Medizin hat im Gegensatz zu unserer Schulmedizin keine anatomische Vorstellung von den Organen, sondern betrachtet die Organe und die dazugehörigen Leitbahnen in bezug auf ihre Aufgaben als Funktionskreise. Dieses Modell, so sonderbar und andersartig es uns auch aus der Perspektive der Schulmedizin zunächst einmal erscheinen mag, hat sich über einen langen Zeitraum hinweg entwickelt und als sehr wirkungsvoll erwiesen.

Mit Hilfe der Funktionskreise und deren Zuordnungen kann die Chinesische Medizin sowohl den gesunden Ablauf dieser Funktionen (Physiologie) erkennen, als auch deren Entgleisungen und Fehlfunktionen (Pathologie) diagnostizieren und dadurch entsprechend behandeln.

Nochmals kurz zur Erinnerung: Die Chinesische Medizin sieht den Menschen als energetische Erscheinung, welche sich laufend wandelt und immer nach Harmonie strebt. Die Behandlungen sind deshalb stets darauf ausgerichtet, die Selbstregulierungsfunktion des Menschen zu unterstützen. Wir werden uns zu einem späteren Zeitpunkt mit den Einflüssen beschäftigen, die in der Chinesischen Medizin als krankmachend angesehen werden (siehe Seite 75 ff.). In diesem Kapitel möchte ich Ihnen einige der Zuordnungen vorstellen, welcher sich die Chinesische Medizin bedient, um zu einer Diagnose und der passenden Therapie zu kommen.

Die Funktionskreise werden im Chinesischen als »Zang Fu« bezeichnet, wobei mit »Zang« die fünf Yin-Funktionskreise und mit »Fu« die sechs Yang-Funktionskreise gemeint sind. Zu den Zang gehören Herz, Lunge, Leber, Milz und Niere; manchmal wird der Herzbeutel als sechster Funktionskreis hinzugezählt. Die Aufgabe der Zang besteht im Umwandeln, Speichern, Produzieren und Regulieren der Grundsubstanzen (Qi, Xue, Jing, Shen, Jin Ye), und deshalb werden sie auch als Speicherorgane bezeichnet.

Die sechs Fu sind die Yang-Funktionskreise Magen, Dünndarm, Dickdarm, Blase, Gallenblase und der Drei-Erwärmer, deren Aufgaben im Empfangen, Aufspalten, Transportieren und Ausscheiden der Nahrungsteile, die in Grundsubstanzen gewandelt werden sollen, besteht. Sie werden deshalb auch Werkstattorgane oder Hohlorgane genannt.

Die Yin-Organe liegen tiefer im Inneren des Körpers als die Yang-Organe, was nicht anatomisch, sondern energetisch zu verstehen ist. Sie werden deshalb als die wichtigeren Funktionskreise angesehen. Genau wie bei den Leitbahnen werden auch hier jeweils ein Yin- und ein Yang-Funktionskreis als Paar betrachtet – die beiden nämlich, die auch jeweils einer Wandlungsphase zugeordnet sind. So ist gehören Herz und Dünndarm zusammen, die Lunge ist mit dem Dickdarm verbunden, Niere und Blase, Milz und Magen, Leber und Gallenblase und Herzbeutel und Drei-Erwärmer bilden jeweils ein Funktionspaar.

Wenn in diesem Buch der Einfachheit halber oftmals nur von der Leber, der Lunge etc. die Rede ist, so ist damit immer der Funktionskreis und nicht das gleichnamige Organ im Sinne der westlichen Schulmedizin gemeint.

Der Funktionskreis Niere

Die Niere ist der Sitz der vorgeburtlichen, ererbten Energie und gilt deshalb als Quelle des Lebens. Hier wird das Jing gespeichert. Alle Aspekte der Entwicklung menschlichen Lebens, die Konstitution und die Reproduktion beziehen sich auf die Niere. Somit gehört auch die Sexualität zu diesem Funktionskreis.

Die Niere regiert das Wasser und ist zuständig für den Kälte-/ Wärme-Haushalt im Körper. Außerdem beherrscht sie die Knochen und die Zähne, die als Verbindung zu den Knochen gesehen werden. Sie öffnet sich in die Ohren und zeigt sich im Kopfhaar des Menschen. So ergeben sich vielfältige Behandlungsmöglichkeiten für Beschwerden wie Jing-Schwäche, sichtbar in frühzeitig ergrautem Kopfhaar oder in schwachen Knochen. Aber auch Wasseransammlungen im Körper zeigen einen Disharmonie der Niere an.

Und schließlich werden auch Entwicklungsstörungen sowie die Altersschwerhörigkeit auf eine Schwäche der Nierenenergie zurückgeführt.

Der Funktionskreis Blase

Der Yang-Funktionskreis zur Niere ist die Blase. Sie steht in enger Verbindung zur Niere und hat seine Hauptaufgabe im Empfangen und Ausscheiden des Urins. Der Urin wird in der Niere gebildet aus den unreinen Abfallstoffen von der Lunge und den Därmen und an die Blase geschickt. Die Blase verarbeitet und scheidet diese trübsten Bestandteile aus. Typische Symptome von Entgleisungen der Blase sind sämtliche Schwierigkeiten beim Wasserlassen, z. B. kann der Urin nicht gehalten werden oder beim Wasserlassen zeigt sich ein heftiges Brennen.

Der Funktionskreis Herz

Das Herz speichert das Shen, d. h. es sorgt für angemessene Verhaltensweisen im menschlichen Leben sowie für einen guten Schlaf. Auch das Gehirn wird in der Chinesischen Medizin dem Herzen zugeordnet. Außerdem regiert das Herz das Blut und die dazugehörigen Blutbahnen und sorgt dafür, daß das Blut ruhig in diesen Bahnen fließt und der Puls gleichmäßig schlägt. Es öffnet sich in die Zunge. Somit können Beschwerden wie z. B. Nervosität, Schlaflosigkeit, extreme Träume oder Vergeßlichkeit über das Herz behandelt werden. Krankhafte Veränderungen der Zunge zeigen ebenfalls eine Entgleisung des Herz-Qi an.

Der Funktionskreis Dünndarm

Der Dünndarm ist der Yang-Part zum Herzen und ist mit der Trennung von reinen und unreinen Substanzen beschäftigt. Die unreinen Anteile werden über den Dickdarm ausgeschieden, ein Teil wird zur Niere und zur Blase zur weiteren Verarbeitung geschickt.

Beschwerden wie Bauchschmerzen, Durchfall, Verstopfung oder auch Darmgeräusche deuten auf eine Störung im Dünndarm hin.

Der Funktionskreis Milz

Die Milz regiert den Transport und die Umwandlung und gilt in der Chinesischen Medizin als das wichtigste Verdauungsorgan. Sie entzieht der Nahrung die reinen Anteile, die dann in Qi und Blut umgewandelt werden. Deshalb gilt die Milz als die »Grundlage der nachgeburtlichen Energien«.

Weiterhin hält sie das Blut in den Adern und beherrscht die Muskeln und die vier Extremitäten, sprich: Arme und Beine. So zeigt sich der Zustand des Milz-Qi u. a. in der Beschaffenheit der Muskeln und der Extremitäten. Erkennen läßt sich dieser Zustand außerdem am Mund und an den Lippen, da die Milz sich in den Mund öffnet. Beschwerden, die auf ein schwaches oder gestörtes Milz-Qi schließen lassen, sind zum Beispiel Appetitlosigkeit, Schmerzen in der Bauchregion oder Durchfall. Aber auch Symptome wie unkontrollierte Blutungen, z. B. Blut im Stuhl oder überstarke Monatsblutungen bei Frauen, deuten auf eine Schwäche der Milz. So werden die meisten chronischen Blutungen über die Milz behandelt. Fehlender Geschmacksinn oder blasse Lippen stehen ebenfalls in Beziehung zur Milz.

Der Funktionskreis Magen

Der Magen als Yang-Part zur Milz steht natürlich gleichfalls in starker Beziehung zur Verdauung und Nahrungsverarbeitung. Er ist für das Empfangen und Reifen der Nahrung zuständig und gilt auch in der Chinesischen Medizin als erstes Organ der Nahrungsaufbereitung. Vom Magen aus werden die reinen Nahrungsanteile herausgefiltert und zur Milz geschickt, d. h. das Magen-Qi hat eine sinkende Bewegungsrichtung.

Aufstoßen oder Erbrechen werden in der Chinesischen Medizin als »rebellierendes Magen-Qi« bezeichnet, da das Magen-Qi in diesen Fällen nach oben fließt. Beschwerden wie Erbrechen, Blähungen, Übelkeit und ganz allgemein Magenschmerzen können über den Funktionskreis Magen behandelt werden.

Der Funktionskreis Leber

Die Leber »beherrscht das Fließen und Ausbreiten«, heißt es in den Klassikern. Dies bezieht sich auf alle körperlichen Substanzen. So sorgt das Qi der Leber für den gleichmäßigen Fluß von Qi und Blut und verteilt diese beiden Substanzen in alle Richtungen.

Die Leber mag das Sanfte und frei Fließende und ist deshalb besonders anfällig gegen Stauung, Stagnation. Leber-Qi-Stagnation ist demzufolge auch eine der am häufigsten diagnostizierten Leber-Disharmonien in der Chinesischen Medizin. Eine Stauung von Qi und Blut geht auf der körperlichen Ebene immer einher mit Spannungsgefühlen oder Schmerzen. Der Aspekt der Verteilung und des sanften Fließens bezieht sich aber auch auf die Emotionen. Auf diese Ebene zeigt sich eine Leberdisharmonie z. B. in unkontrollierten Wutausbrüchen, aber auch in der Unfähigkeit, Emotionen zum Ausdruck zu bringen.

Die Leber ist auch für die Speicherung des Blutes zuständig und sorgt für den fließenden Wechsel von Verteilen und Zurückziehen des Blutes bei Bewegung und Ruhe. Weiterhin heißt es, daß sie die Sehnen beherrscht und für die geschmeidige Beweglichkeit der Sehnen und Bänder Sorge trägt.

Die Leber zeigt sich in den Nägeln und öffnet sich in die Augen. Der Zustand der Augen und der Nägel ist somit auch Ausdruck des Qi der Leber.

Eine ganze Reihe von unterschiedlichen Beschwerden können über den Funktionskreis Leber behandelt werden. Schmerzen, Verspannungen, Unbeweglichkeit der Sehnen und Bänder, häufige Wutausbrüche deuten fast immer auf Probleme in der Leber. Aber auch der Zustand der Augen, besonders trockene Augen, verweisen häufig auf eine Leberdisharmonie. Menstruationsbeschwerden oder brüchige, blasse Nägel sind weitere Anzeichen einer solchen Störung und werden ebenfalls über die Leber behandelt.

Der Funktionskreis Gallenblase

Die Gallenblase ist der Yang-Partner der Leber, und diese beiden gelten als besonders eng miteinander verbunden. Störungen in einem der beiden Funktionskreise wirken sich immer auch auf den jeweils anderen aus.

Auf der psychischen Ebene werden der Gallenblase die Fähigkeiten des Planens und der Entscheidungsfindung zugeordnet. Entscheidungsunfähigkeit oder Planlosigkeit werden deshalb meist auf sie zurückgeführt. Aber natürlich sind auch Gallenkoliken oder die Gelbsucht diesem Funktionskreis zuzuordnen.

Der Funktionskreis Lunge

Die Lunge regiert das Qi. Sie hat die Funktion, das äußere Qi mit dem inneren zu verbinden und es durch den Körper zu leiten.

Eine andere zentrale Aufgabe der Lunge besteht in der Ausscheidung, und zwar sowohl über die Ausatmung als auch über die Haut. Weiterhin regelt sie die Bewegung des Wassers im Körper und hat die generelle Tendenz, abwärts zu senken. Außerdem ist sie für das Abwehr-Qi (Wei Qi) zuständig und führt dieses zur Haut hin. Somit kommt ihr eine wichtige Rolle beim Aufbau der Widerstandfähigkeit des Körpers zu.

Die Lunge »regiert das Äußere des Körpers«, heißt es in den Klassikern der Chinesischen Medizin, und mit dem Äußeren sind in diesem Fall die Beschaffenheit der Haut und die Körperbehaarung gemeint. Sie öffnet sich in die Nase, was ihre Beziehungen zu Atemwegserkrankungen deutlich werden läßt.

Auf der emotionalen Ebene geht es beim Funktionskreis Lunge um Trauer und Sorgen. Sowohl zuviel Traurigkeit als auch eine Unfähigkeit zur Trauer deuten auf Funktionsstörungen der Lunge hin.

Aus diesem groben Überblick über den Funktionskreis Lunge läßt sich schon auf einige Beschwerdebilder oder Krankheiten schließen, die ihm nach Auffassung der Chinesischen Medizin zuzurechnen sind. Unter anderem werden alle Hauterkrankungen wie z.B. Neurodermitis oder Ekzeme, alle Nasen- und Halserkrankungen, Infektanfälligkeit oder Bronchitis, aber auch auffällige Schweißabsonderungen über die Lunge behandelt.

Der Funktionskreis Dickdarm

Mit dem Funktionskreis Lunge (Yin) zu einem Paar verbunden ist der Funktionskreis Dickdarm (Yang), der die Aufgaben der Lunge in mancherlei Hinsicht ergänzt. Als Ausscheidungsorgan sorgt er für die Entlastung und Entledigung von Abfallstoffen. Außerdem entzieht er dem Rest der Nahrung die verbliebenen Flüssigkeiten und scheidet die Nahrungsabfälle aus.

Im übertragenen Sinne geht es hier um die Fähigkeit loszulassen, und wenn es jemandem z.B. generell schwerfällt, sich von etwas oder jemandem zu trennen, sollte die Dickdarmfunktion überprüft werden.

Auch bei der Behandlung krankhafter Hautprozesse spielt der Dickdarm oft eine wichtige Rolle. Und natürlich werden auch Symptome und Beschwerden wie Bauchschmerzen, Durchfall, Darmgeräusche oder Verstopfung über diesen Funktionskreis behandelt.

Der Funktionskreis Herzbeutel

Der Funktionskreis Herzbeutel, auch Pericard genannt, ist streng genommen kein eigener Funtionskreis. Wahrscheinlich aus Gründen der Symmetrie wurde er als Yin klassifiziert und dem Dreifachen Erwärmer als Yangkomplement zugeordnet. Genau genommen ist er dem Herzen zuzuordnen und gilt als dessen »Beschützer«. Das Herz – als der große Herrscher – kann nicht direkt angegriffen werden, sondern wird umhüllt und beschützt vom Herzbeutel, der das Eindringen krankmachender Faktoren in das Herz verhindern soll.

Die dem Herzbeutel zugeordnete Leitbahn hat einige wichtige Punkte für die Akupunkturbehandlung. Der Herzbeutel wird oft von Hitze angegriffen, die sich in Symptomen wie z. B. zitternder Zunge, starker Reizbarkeit oder auch durch ein Koma zeigen kann. Weitere Symptome wären auch Fieber oder ein roter Zungenkörper.

Der Funktionskreis Dreifacher Erwärmer

Hier haben wir es mit einem Funktionskreis zu tun, der in der westlichen Schulmedizin nicht annähernd bekannt ist. Er hat auch keine entsprechend nachweisbares Organ innerhalb der westlichen Anatomie.

Die CM bezeichnet mit ihm bestimmte Funktionen des Ausgleichs dreier Körperbereiche, dem oberen, mittleren und unteren Brenner, deshalb auch oft als »Drei Brenner« bezeichnet.

Dem oberen Erwärmer werden Herz und Lunge, dem Mittleren Magen und Milz und dem Unteren Niere und Därme zugeordnet. Der Name verrät auch, daß er auch für den Wärmehaushalt zuständig ist und somit auch Verbindung zum Nieren-Funktionskreis hat.

Das »Huangdi Neijing« sagt, daß der Obere Erwärmer ein Dunst, der Mittlere ein Schaum und der Untere ein Sumpf ist, was die Beziehung zu Lunge, Milz und Niere widerspiegelt.

Der Dreifache Erwärmer sorgt sozusagen für die Funktion des gesamten Systems und hat Verbindung zu allen anderen Funktionskreisen. Ein sehr einfacher Test zur Überprüfung dieser Funktion ist das Fühlen der Temperatur in allen drei genannten Bereichen des Körpers. So sollte, wenn man die Hand zuerst auf den Brustkorb, dann auf den Oberbauch und dann auf den Unterleib legt, überall eine gleichmäßige Temperatur zu fühlen sein. Große Temperaturunterschiede hierbei deuten auf eine Disharmonie dieses Funktionskreises.

Auch bei diesem Beispiel zeigt sich wieder sehr schön der doch völlig andere Ansatz der CM im Vergleich zur Schulmedizin. Wichtig bei all ihren Konzepten und Theorien war und ist die praktische Umsetzung. Solange mit ihnen erfolgreich diagnostiziert und behandelt werden kann, werden diese Theorien entsprechend genutzt und benötigen keine erneute wissenschaftliche Bestätigung. Für uns wissenschaftsgläubige Westler ist dies kaum zu verstehen, aber es führen eben viele Wege nach Rom. Und sollten wir nicht auch nachdenklich werden, wenn uns in einer klinischen Studie z. B. die Wirksamkeit von Kaffee bewiesen wird und in der nächsten Studie genau das Gegenteil herauskommt? *Erfahrung* in seinem positiven Sinne ist bei uns nicht mehr gefragt, wie ja auch der zum Teil beschämende Umgang mit unseren Senioren zeigt.

Entscheiden Sie, liebe Leser, selber, ob wir nicht auch hier bei uns an unsere Grenzen gestoßen sind, in dem, was wir als das »einzig Wahre« verkaufen.

Die Qi-Umwandlung im menschlichen Körper

Um Ihnen eine Vorstellung vom Zusammenspiel der einzelnen Funktionskreise zu geben, möchte ich abschließend auf leicht verständliche – und d. h. in diesem Fall stark vereinfachte – Weise die Produktion des Qi im menschlichen Körper erläutern. Was passiert mit dem Qi, das wir über die Nahrung und die Atemluft zu uns nehmen? Wie und von welchen Funktionskreisen wird es umgewandelt, so daß wir es verwerten können?

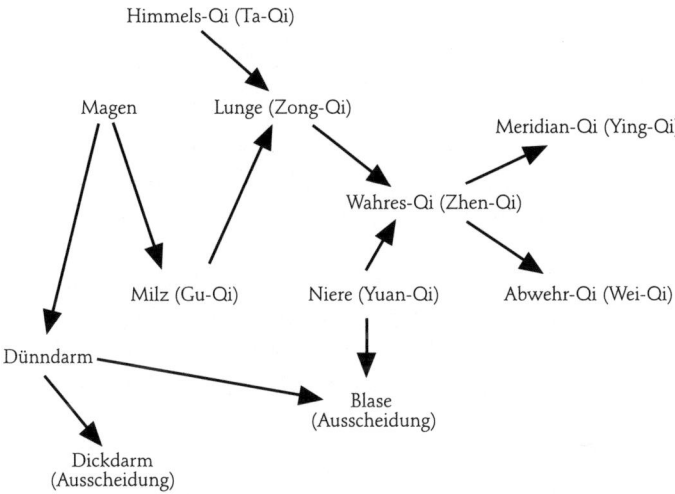

Als Einstieg in die Darstellung der verschiedenen Umwandlungsprozesse im Körper habe ich eine Grafik ausgewählt, auf der die verschiedenen Ebenen der Umwandlung des Qi dargestellt werden.

Wie bereits erwähnt, erzeugen wir unsere Energien über den Weg der Nahrungs- und Atemluftaufnahme. Aus der zu uns genommenen Nahrung filtern der Magen und die Milz bestimmte Bestandteile heraus und wandelt diese um in Gu-Qi (Nahrungs-Qi). Die Milz sorgt dafür, daß diese Form von Qi zur Lunge und zum

Herzen aufsteigen kann, wo die Umwandlung in Qi (Wahres Qi) und Blut stattfindet. Der Magen sorgt für das Sinken der Abfallprodukte, die bei der Umwandlung entstehen, zu den Därmen. Im Dünndarm werden diese Produkte nochmals in unreine und reine Stoffe getrennt. Die unreinen gehen zum Dickdarm und werden dort nach einem weiteren Trennungsprozeß ausgeschieden als Stuhl, während die reinen Anteile zur Blase gehen und dort, nach einer weiteren Filterung, als Harn ausgeschieden werden.

In der Lunge findet die Verbindung des aufsteigenden Gu-Qi und dem über die Atmung aufgenommenen Ta-Qi statt. Diese beiden bilden das sogenannte »Zong-Qi«, welches in der Brustmitte zu finden ist und u. a. die Aufgabe hat, Qi und Blut im Körper zu bewegen. Das Qi der Lunge sinkt außerdem ab und bringt die Abfallprodukte über die Niere zur Blase, worüber diese dann ebenfalls ausgeschieden werden.

Unter dem Einfluß des Yuan-Qi aus der Niere entsteht das Zhen-Qi (Wahres Qi). Diese Form des Qi teilt sich in zwei weitere Aspekte auf: Zum einen entsteht das Wei-Qi, welches u. a. zuständig ist für die Abwehr von krankmachenden Einflüssen, die von außen in den Körper eindringen. Es fließt in der Haut und in den Muskeln und wirkt wie eine Schutzhülle gegen schädliche äußere Einflüsse. Der andere Aspekt, das Ying-Qi, tritt über die Lunge in die Leitbahnen ein und versorgt das gesamte Leitbahnsystem mit der nötigen Energie.

Die Niere beeinflußt auf vielfältige Art und Weise alle Prozesse der Qi-Umwandlung im Körper, weil sie der Sitz der »Energien des Früheren Himmels« ist. Ebenfalls in der Niere werden alle »Energien des späteren Himmels« gespeichert, die bei der Umwandlung von Qi als Überschüsse entstanden sind.

Das Herz, in der Darstellung ein wenig vernachlässigt, beherbergt den Geist und spielt eine wichtige Rolle bei der Blutbildung. Es versorgt die Niere mit »Feuer« (Hitze) und kontrolliert die Lunge.

Diese vereinfachte Darstellung soll Ihnen verdeutlichen, daß die Chinesische Medizin ein komplexes theoretisches Konzept zu bieten hat, das zwar nicht den Vorstellungen der westlichen Physiologie entspricht, aber detailliert ausgearbeitet und in sich absolut schlüssig ist.

Für Ärzte oder Heilpraktiker, die mit Chinesischer Medizin arbeiten, ist es sehr wichtig, sich genau mit diesem Konzept zu beschäftigen, da es eine wichtige Grundlage für die Behandlungsstrategie darstellt. Für Sie als Laien und Patienten ist ein genaues Wissen um die Umwandlungsprozesse jedoch nicht notwendig. Lassen Sie sich also von diesem trotz Vereinfachung wahrscheinlich etwas komplizierten Konzept nicht verwirren oder gar abschrecken.

Die krankheitsauslösenden Faktoren

Gesundheit entspricht in der Chinesischen Medizin, ganz allgemein gesagt, der Harmonie von Yin und Yang. Konkret bedeutet dies nichts anderes, als daß Gesundheit abhängt von einem ausgewogenen Verhältnis zwischen Ruhe und Bewegung, Arbeit und Schlaf, körperlicher und geistiger Tätigkeit, einer guten Ernährung, einem geregelten, harmonischen Sexualleben, der Anpassung an klimatische Umstände und einem ausgeglichenen Gefühlsleben, um nur die wichtigsten Faktoren zu nennen.

Was nun die Entstehung von Krankheiten angeht, so unterscheidet sich das Konzept der Chinesischen Medizin an einigen Punkten durchaus erheblich von dem unserer Schulmedizin. Schon die ersten Vertreter der Chinesischen Medizin waren der Ansicht, daß immer mehrere Faktoren zusammentreffen müssen, um Beschwerden oder Krankheiten auszulösen. Wenn es nicht gerade um äußere Verletzungen o. ä. ging, versuchten sie zunächst, über eine Veränderung der Lebensumstände des Patienten Besserung zu erreichen. Erst wenn deutlich war, daß dies nicht ausreichte, griffen sie zur Akupunktur oder zur Kräuterheilkunde. Zu den Änderungen in der Lebensführung gehörten seit jeher die Ernährungsberatung und die Vorsorge bzw. Behandlung mit Qigong-Übungen, die in diesem Buch einen großen Platz einnehmen, weil es genau die Dinge im Leben sind, die wir selbst in der Hand haben und die letztlich einzig und allein in unserer Verantwortung liegen.

Doch nun zu den einzelnen Faktoren, die in der Chinesischen Medizin als krankheitsauslösend angesehen werden. Hier wird unterschieden zwischen »äußeren Ursachen«, »inneren Ursachen« und »sonstigen Ursachen« Wir werden sie der Reihe nach betrachten.

Äußere krankheitsauslösende Ursachen

Die sogenannten »äußeren Ursachen« Wind, Hitze, Kälte, Feuchtigkeit und Trockenheit werden manchmal auch als »klimatische Exzesse« bezeichnet. Obwohl sie als äußere Faktoren bezeichnet werden, ist es nicht so, daß die entsprechenden Beschwerden ausschließlich durch äußere Einflüsse entstehen können. Die äußeren Bedingungen waren im Alten China sicherlich wichtiger als heutzutage. Sie dürfen jedoch auch in unserer modernen Zeit keineswegs vernächlässigt werden, denn trotz oder manchmal auch gerade wegen guter Heizungen und Klimaanlagen sind wir klimatischen Belastungen ausgesetzt. Krankheitsprozesse, die Zeichen von Wind, Hitze, Kälte, Feuchtigkeit oder Trockenheit aufweisen, können jedoch auch aus dem Inneren des Körpers entstehen und solchermaßen klassifiziert werden. Es handelt sich hier also um ein Beschreibungsmodell, das nicht nur reale äußere Bedingungen erfaßt, sondern mit dem auch innere Prozesse eingeordnet werden können. Dieses System der Einordnung funktioniert hervorragend und hat sich in der Praxis als sehr effektiv erwiesen.

Ich werde im folgenden auf jede einzelne äußere krankheitsauslösende Ursache eingehen. Es ist jedoch wichtig zu wissen, daß sich gewisse Faktoren natürlich auch miteinander verbinden können. So kann es z. B. Wind-Hitze, feuchte Hitze oder auch Wind-Kälte geben.

Wind

Der Wind erzeugt in unserem Körper akute und plötzlich auftretende Beschwerden. Außerdem wechseln die Symptome ständig ihren Sitz. Wind hat auch austrocknende Wirkung.

Stellen Sie sich den Wind in der Natur einmal kurz vor: plötzlich eine Böe, dann wieder Ruhe, gerade wehte es noch hier, im nächsten Augenblick schon ganz woanders, dann wieder Ruhe. Genau so geht es bei Wind-Symptomen in ihrem Körper zu.

Kennen Sie z. B. wandernde Schmerzen in den Gelenken? Mal ist es das rechte Knie, dann wieder der rechte Ellbogen. Oder haben Sie Hauterkrankungen, deren Juckreiz von einer zur anderen Minute im Körper umherspringt? Oder es ging Ihnen gerade noch gut, und auf einmal haben Sie diese wahnsinnigen Kopfschmerzen. Solche und ähnliche Beschwerden haben genau dieselben Charakteristika wie der Wind. Sie verhalten sich wie der Wind und werden deshalb unter diesem Begriff eingeordnet.

Feuchtigkeit

Die Feuchtigkeit dagegen hat ganz andere Kennzeichen und Symptome. Sie dringt gerne in den Körper ein, besonders in die Gelenke, und macht diese schwerfällig. Sie blockiert den Energiefluß und erscheint unrein und klebrig. Sie sorgt für chronische Beschwerden.

Stellen Sie sich doch einmal einen Sumpf vor. Jede Bewegung fällt schwer, und es zieht Sie förmlich nach unten. Genau so ist es mit der Feuchtigkeit im Körper. Kennen Sie das Gefühl der Schwere, das Gefühl, absolut nicht hochzukommen am Morgen? Oder die seit Jahren anhaltenden Beschwerden im Kniegelenk? Trüben Vaginalausfluß? Das sind Zeichen der Feuchtigkeit.

Trockenheit

Jetzt kommen wir zum Gegenteil von Feuchtigkeit. Die Trockenheit zeigt sich z. B. durch Schweißlosigkeit, Halsschmerzen und einen trockenen Zungenbelag.

Stellen Sie sich ein ausgetrocknetes Flußbett vor: viele Furchen und Risse, nirgendwo Wasser. Dies sind auch die Zeichen für Trockenheit im Körper. Es fehlen die Körpersäfte. Die Haut und/oder die Haare sind trocken. Der Belag auf der Zunge ist trocken, und oftmals weist der Zungenkörper Risse auf. Auch trockene Schleimhäute gehören in dieses Kategorie.

Hitze

Die Hitze zeigt sich in Form von Temperatur (Fieber) und in der Farbe Rot.

Stellen Sie sich eine Wüstenlandschaft vor. Sie können die sengende Sonne kaum ertragen, Sie haben übermäßigen Durst, weil die Hitze (Yang) alles verbrennt, und Sie suchen verzweifelt nach Schatten (Yin). So wird es Ihnen auch gehen, wenn Sie unter Hitze-Symptomen leiden.

Akute Entzündungen, rote Hautausschläge, selbstverständlich auch der Sonnenbrand oder -stich sind nach Auffassung der Chinesischen Medizin Hitze-Erkrankungen. An allen entzündlichen Prozessen ist die Hitze mitbeteiligt. Auch ein roter Zungenkörper oder eine auffallend rote Gesichtsfarbe deuten auf Hitze im Körper.

Kälte

Das Gegenteil der Hitze ist die Kälte. Kälte zeigt sich durch Frösteln und das Verlangen nach Wärme. Kälte verlangsamt und blokkiert die Lebenskraft, das Qi. Gerade ältere Menschen leiden z. B. unter chronischen Gelenkproblemen, die durch Kälte ausgelöst wurden. Deshalb geht es solchen Menschen natürlich im warmen Mallorca wesentlich besser als im etwas frostigen Mittel- oder Nordeuropa.

Kälte im Körper sorgt dafür, daß man z. B. auch im Sommer immer kalte Füße oder Hände hat und fast immer ein wenig friert.

Stellen Sie sich Norwegen im Winter vor. Es ist so kalt, daß Ihnen daß Blut in den Adern gefriert. Sie können sich kaum bewegen, weil die Kälte die ganzen Körperprozesse verlangsamt. Dies sind Kältezeichen.

Innere krankheitsauslösende Ursachen

Die »inneren Faktoren« sind die Emotionen. Sie werden, wie bereits mehrfach erwähnt, in der Chinesischen Medizin nicht getrennt vom Körper gesehen, sondern sind Bestandteil der zuvor skizzierten Funktionskreise. Als Emotionen gelten Wut, Trauer, Freude, Sorgen, Furcht, Grübeln und Schock. Sie können als Ursache einer Erkrankung fungieren, aber auch durch entsprechende körperliche bzw. energetische Störungen hervorgerufen werden.

Sie haben sicherlich auch schon die Erfahrung gemacht, daß sich bestimmte Beschwerden an Tagen, an denen Sie »nicht so gut drauf sind«, verschlimmern oder sich erstmals zeigen. Oder es ist Ihnen aufgefallen, daß Faktoren, mit denen Sie sonst gut umgehen können, Sie an solchen Tagen erheblich stören können. Hier zeigt sich die Verbindung zwischen der emotionalen und der körperlichen Befindlichkeit sehr deutlich.

Ein Beispiel, das auch viele Menschen kennen, ist die Trauer über den Verlust eines geliebten Menschen, sei es durch Tod oder Trennung. Wenn diese Trauer, die durchaus richtig und wichtig ist, um Abschied zu nehmen, zu lange andauert, blockiert sie oftmals nicht nur all Ihr Denken und Tun, sondern Sie werden auch krankheitsanfälliger.

Die Chinesische Medizin geht auf emotionale Störungen nicht primär auf psychologischer Ebene ein, sondern versucht, das Geschehen auch auf der körperlichen Ebene zu beeinflussen. Diagnostisch nutzt sie Hinweise auf emotionale Zustände, indem sie z. B. daraus, daß ein Patient erzählt, daß er »oft aus der Haut fährt« oder »schnell wütend wird« auf eine energetische Störung des Funktionskreises Leber schließt.

Die Chinesische Medizin verfügt über sehr viel Wissen über die Bedeutung emotionaler Zustände für die Gesundheit. Aufgrund des kulturellen und sozialen Hintergrundes der chinesischen Gesellschaft wurden und werden psychische Probleme aber so gut wie nie direkt, d.h. auf der psychologischen Ebene, therapiert. Es war und ist noch heute in China nicht möglich, offen über emotionale Probleme zu reden. Dies ist in unseren Breiten zumindest tendenziell anders. Sowohl die Patienten als auch die junge Generation der Therapeuten, die im Westen tätig sind, sind zunehmend bereit dazu, die Wechselbeziehungen zwischen körperlichen und emotionalen Aspekten offen zu thematisieren.

Das Problem ist freilich, daß viele Ärzte sich keine Zeit für ein klärendes Gespräch nehmen. Aber auch die Patienten sollten von sich aus versuchen, sich möglichst ohne Vorurteile und Wunschdenken genau zu betrachten und ihre Reaktionen, Einstellungen, ihre Stärken und Schwächen kennenzulernen und akzeptieren, anstatt die Schwierigkeiten zu verdrängen. Diese Verdrängungsmechanismen, die bei den meisten von uns relativ stark ausgeprägt sind, tragen nach Auffassung vieler Ärzte und Psychologen nämlich zumindest in späteren Lebensjahren mit zur Entstehung von Krankheiten bei.

Sonstige Ursachen

Unter dem Begriff »sonstige Ursachen« werden verschiedene krankheitsauslösende Ursachen wie Ernährungsfehler, sexuelle Verausgabung, Drogenkonsum, konstitutionelle Faktoren, Vergiftungen, epidemische Erkrankungen und falsche medizinische Behandlung zusammengefaßt.

Auch in diesem Bereich ergeben sich zahlreiche Möglichkeiten der Vorbeugung. Selbst die Konstitution, von der man meist annimmt, man könne sie wahrlich nicht ändern – was in gewisser Hinsicht auch stimmt –, ist positiv beeinflußbar durch die Lebensweise. Wenn Sie wissen, wo Ihre konstitutionellen Probleme liegen – und das läßt sich mit Hilfe der Diagnostik der Chinesischen Medizin sehr gut in Erfahrung bringen –, können Sie sich entsprechend verhalten, sei es, daß Sie auf bestimmte Dinge verzichten, sei es, daß Sie andere in ihr Leben einbeziehen. In den praktisch orientierten Kapiteln dieses Buches zur Ernährungslehre, zur Massage und zum Qigong werden Sie in dieser Hinsicht einige konkrete Anregungen bekommen.

Diagnose in der Chinesischen Medizin

Wenn Sie sich nach den Regeln der Chinesischen Medizin behandeln lassen, werden Sie bereits beim Erstgespräch und den Untersuchungsmethoden große Unterschiede zur Herangehensweise eines Schulmediziners feststellen. Für den ersten Termin müssen Sie relativ viel Zeit mitbringen, die Sie aber nicht, wie gewohnt, zum Großteil im Wartezimmer verbringen, sondern im Behandlungszimmer mit dem Therapeuten.

Das sogenannte Erstgespräch, auch Anamnese genannt, nimmt in der Regel ein bis zwei Stunden in Anspruch, in denen eine detaillierte Diagnose und ein entsprechender Behandlungsplan erstellt werden. Die Diagnostik der Chinesischen Medizin setzt sich aus vier Teilen zusammen:

- Befragung
- Betrachtung
- Tastung
- Hören und Riechen

Befragung

Am Anfang der Diagnoseerststellung steht eine ausführliche Befragung durch den Heilpraktiker oder Arzt, in der Sie sich sicher so manches Mal wundern werden, was der alles von Ihnen wissen will. Die Befragung geht über familiäre Erkrankungen und vererbliche Dispositionen in der Verwandschaft bis zum aktuellen Stand Ihrer Befindlichkeit. Fast alle Aspekte Ihres Lebens und Ihres Gesundheitszustandes werden thematisiert. So tauchen beispielsweise folgende Fragen bzw. Themenkomplexe auf:

Was ist Ihre Hauptbeschwerde? Was gibt es für weitere, sekundäre Beschwerden? Wie sah die bisherige Behandlung aus? Mit welchem Ergebnis wurde sie durchgeführt? Wie äußern sich die Beschwerden und wann? Wodurch verbessern, wodurch verschlechtern sie sich?

Auch die Lebensgewohnheiten werden beleuchtet: Sind Sie in Ihrem beruflichen oder privaten Umfeld sehr viel Streß ausgesetzt? Rauchen oder trinken Sie? Wenn ja, wieviel? Haben Sie eine Familie bzw. einen Partner? Wie reagieren diese auf Ihre gesundheitlichen Probleme?

Weiter werden die Funktionen von Körper und Geist eingeordnet: Haben Sie Schlafprobleme? Wenn ja, beim Einschlafen oder durch häufiges Aufwachen? Sind Sie chronisch müde oder abgespannt? Fühlen Sie sich schwach? Haben Sie Probleme aufzustehen?

Essen Sie regelmäßig? Was essen Sie und wann? Wie wichtig ist Ihnen das Essen? Wie funktioniert Ihre Verdauung und Ihre Ausscheidung? Haben Sie regelmäßig Stuhlgang? Wie oft müssen Sie zur Toilette? Welche Farbe und welchen Geruch haben Ihre Ausscheidungen? Haben Sie Magenschmerzen oder Blähungen?

Habe Sie kalte Hände, Füße, Knie oder einen kalten Rücken oder Po? Welche Temperaturempfindung haben Sie generell? Ist Ihnen eher immer warm oder kalt? Haben Sie Abneigungen gegen Kälte, Hitze, Wind oder Feuchtigkeit?

Haben Sie trockene Haut? Stumpfes Haar? Haarausfall? Wie sieht Ihr Sexualleben aus? Sind Sie damit zufrieden? Wie häufig haben Sie Verkehr? Haben Sie Rückenschmerzen? Haben Sie Menstruationsprobleme? Vor, während oder nach der Periode? Wie sieht das Menstruationsblut aus?

Haben Sie Schmerzen oder Verspannungen? Wenn ja, wo und wie sieht der Schmerz aus? Dumpf, stechend, schneidend, heftig, kurze oder längere Schmerzperioden?

Haben Sie irgendwelche Probleme mit den Sinnesorganen? Trübes Sehen, Schwindel? Ausfluß am Ohr? Ohrgeräusche? Heuschnupfen? Ausfluß aus der Nase? Lippenbläschen?

Wie sieht Ihre Haut aus? Leiden Sie unter Ekzemen, Juckreiz, Hitzegefühlen?

Wie steht es um Ihre Psyche? Neigen Sie zu Depressionen? Fühlen Sie sich verstanden? Können Sie sich Ihren Mitmenschen gegenüber äußern? Neigen Sie zu Wutanfällen? Sind Sie eher gleichgültig? Sind Sie mit Ihrem Leben zufrieden?

Diese Liste von Fragen ist nur beispielhaft und soll Ihnen verdeutlichen, wie ausführlich das Gespräch geführt wird, um einen möglichst genauen Eindruck von der Verfassung des Patienten zu bekommen.

Betrachtung

Schon während des Gespräches und danach wird der Therapeut Sie genau betrachten, denn auch Körper und Gestalt geben eine Reihe von Informationen. Wichtig sind insbesondere der Gang, die Beweglichkeit, der Körperbau, die Art und Beschaffenheit der Haut und der Haare. Aber auch die Festigkeit der Muskeln, die Gesichtsfarbe oder der Klang der Stimme können wichtige Hinweise auf die Ursachen der Beschwerde geben.

Die Zungendiagnose

Ein sehr wichtiger Bestandteil der Diagnose durch Betrachtung ist die Zungendiagnose, und deshalb möchte ich auf diese etwas ausführlicher eingehen. An der Zunge lassen sich nämlich sehr viele Faktoren Ihres Befindens ablesen.

Form und der Farbe der Zunge geben z. B. Auskunft über konstitutionellen Aspekte Ihres Körpers. In der Farbe und der Art des Zungenbelages zeichnen sich dagegen akute Körperprozesse ab.

Vielleicht erinnern Sie sich daran, daß Ihnen während Ihrer letzten Grippe auffiel, daß Ihr Zungenbelag wesentlich dicker und schleimiger war als sonst. Vielleicht haben Sie auch eine gelbliche Verfärbung des Belages wahrgenommen. In all diesen kleinen Details kann ein geschulter Therapeut wichtige Zeichen erkennen, die der Behandlung dienlich sind.

Um Ihnen eine Eindruck von der Zungendiagnose zu vermitteln, seien an dieser Stelle beispielhaft einige Zuordnungen dargestellt:

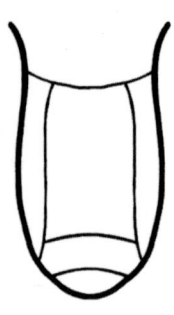

Die Zunge ist, wie Sie der Abbildung entnehmen können, aufgeteilt in verschiedene Bereiche, die jeweils bestimmten Funktionskreisen zugeordnet sind. Die Ränder der Zungen haben einen Bezug zu Leber und Gallenblase, die Zungenwurzel wird der Niere und der Blase zugeordnet. Die Zungenmitte stellt Magen und Milz dar, während man an der Zungenspitze den Zustand des Herzens und direkt darüber den der Lunge ablesen kann.

Veränderungen wie z. B. Schwellungen, Risse oder Erhebungen an bestimmten Stellen deuten auf Disharmonien in den entsprechenden Funktionskreisen. Aufgrund der Zungendiagnose ist also eine genaue Zuordnung der jeweiligen Störung möglich.

Weiter betrachtet der Therapeut die Farbe und die Form des Zungenkörpers. Eine rote Zunge zeigt Hitze im Körper an, während eine blasse Zunge auf eine Energieschwäche schließen läßt. Ist die Rötung z. B. auf die Zungenspitze beschränkt, so deutet dies auf eine Störung im Bereich des Herzens hin. Eine violette Zunge zeigt eine Stauung von Blut an.

Bestimmte Zungenformen zeigen ebenfalls krankhafte Entgleisungen an. Eine insgesamt geschwollen Zunge, die eventuell auch noch sehr naß ist, deutet auf Feuchtigkeit im Körper, während eine rissige, trockene Zunge auf Hitze und auf einen Verlust von Säften schließen läßt. Sichtbare Zahneindrücke am Zungenrand deuten auf eine Milz-Schwäche hin.

Der Zungenbelag spielt ebenfalls eine bedeutende Rolle in der Zungendiagnose. Ein weißer Belag zeigt sich bei Kälteschädigungen, während ein gelber Belag Hitze anzeigt. An der Dicke des Belages erkennt der Therapeut die Stärke und Chronizität des krankmachenden Einflusses.

Als normal betrachtet die Chinesische Medizin einen dünnen weißen Belag, der den gesamten Zungenkörper überzieht. Dabei ist die Farbe der Zunge zartrot, und die Form und Größe sind an die Konstitution der betreffenden Person angepaßt. Außerdem sollte sie ein klein wenig feucht sein und weder zittern, Risse aufweisen noch andere Abweichungen zeigen.

Die Zungendiagnose erfolgt möglichst bei Tageslicht, um nicht Verfälschungen durch die Beleuchtung zu unterliegen. Wenn Sie kurz vorher Kaffee getrunken oder färbende Lebensmittel zu sich genommen haben, sollten Sie dies dem Therapeuten mitteilen, da dies natürlich Farbveränderungen des Zungenbelages hervorruft, welche die genaue Diagnose beeinflussen können.

Es gibt eine ganze Reihe von Literatur ausschließlich zur Zungendiagnose, und sie erfordert vom Therapeuten natürlich ein gewisses Maß an Erfahrung. Dann aber ist sie ein zuverlässiger Indikator für das energetische Geschehen im Körper und liefert nicht zu unterschätzende Hinweise für die Behandlung.

Tastung/Pulsdiagnose

Kommen wir zu einem weiteren diagnostischen Verfahren, der Pulsdiagnose. Hierin ist die Chinesische Medizin wirklich unübertroffen. An der gleichen Stelle am Handgelenk, an der auch die Schulmediziner den Puls fühlen, kann ein geübter Praktiker der Chinesischen Medizin bis zu 32 verschiedene Pulse beziehungsweise Pulsqualitäten ertasten.

Der Therapeut legt hierzu seine Finger, wie auf der Abbildung zu sehen, auf drei nebeneinanderliegende Taststellen am Handgelenk des Patienten. Durch drei verschiedene Ebenen des Abtastens – nahe der Haut (Obere Ebene) mit leichtem Druck, etwas im Fleisch – (Mittlere Ebene) mit mittlerem Druck und nahe dem Knochen (Tiefe Ebene) mit starkem Druck – erhält der Therapeut schon neun verschiedene Aussagemöglichkeiten über den Zustand der Energien des Patienten.

Durch eine Zuordnung der drei Taststellen (vorne, Mitte und hinten) zu einzelnen Funktionskreisen sind weitere Zuordnungen und detailliertere Angaben möglich. Die Zuordnungen sind folgendermaßen festgelegt:

Taststelle	linker Arm	rechter Arm
vorne	Herz und Dünndarm	Lunge und Dickdarm
Mitte	Leber und Gallenblase	Milz und Magen
hinten	Niere und Blase	Niere und Blase

Durch eine sehr differenzierte und subtile Wahrnehmung kann der Behandler verschiedene Pulsqualitäten feststellen. So gibt es z. B. den langsamen Puls. Dieser zeigt an, daß bestimmte Körperprozesse gestört sind und nur noch sehr langsam vonstatten gehen. In der Regel handelt es sich bei diesem Puls um eine Störung durch den krankheitsauslösenden Faktor »Kälte«. Kälte, darauf bin ich bei der Besprechung der Kranheitsursachen bereits eingegangen, verlangsamt den Energiefluß. Wenn einem kalt ist, zieht sich alles zusammen, jede Bewegung fällt einem schwer – genau dies zeigt sich auch auf der Ebene des Pulses.

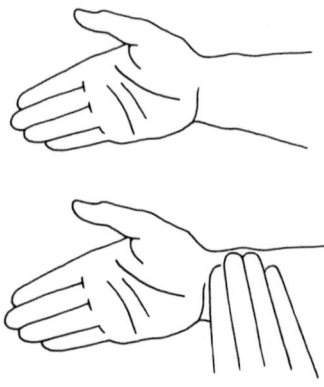

Ganz anders der schnelle Puls, der eine Störung durch »Hitze« darstellt. Ein Mensch mit einer Hitze-Disharmonie hat z. B. ein rotes Gesicht, Fieber, alles in seinem Körper arbeitet auf Hochtoren, die Prozesse im Körper sind beschleunigt, und dies spiegelt sich auch im Puls wider.

Der langsame Puls ist als Yin einzuordnen, während der schnelle Puls eindeutige Yang-Qualitäten besitzt. Eine grafische Darstellung dieser beiden Pulse sehen Sie auf der nächsten Seite.

Weitere Pulsqualitäten sind z. B. der erschöpfte Puls, der volle Puls, der rauhe Puls oder der schlüpfrige Puls.

Die verschiedenen Einordnungsmöglichkeiten der Pulse können schließlich miteinander verbunden werden. So kann eine Pulstaststelle z. B. einen oberflächlichen Puls anzeigen, eine andere Taststelle hingegen einen tiefen Puls. All diese feinen Unterscheidungen und verschiedenen Möglichkeiten erlauben eine sehr differenzierte Diagnose und legen damit den Grundstein für eine erfolgreiche Behandlung.

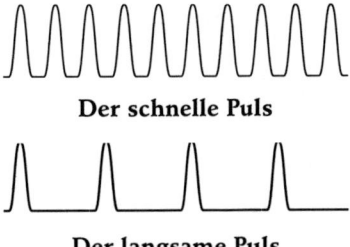

Der schnelle Puls

Der langsame Puls

Wie Sie sich vorstellen können, bedarf es eines guten Feingefühls, einer klaren Vorstellung von den einzelnen Pulsbildern und natürlich einer großen Portion an Erfahrung und Übung, um diese Diagnosemethode umfassend zu beherrschen. Ich selbst habe aber schon Praktiker der Chinesischen Medizin erlebt, die allein anhand der Pulstastung eine exakte Diagnose erstellen konnten.

Hören und Riechen

Hier beschäftigt sich die chinesische Diagnostik mit Symptomen, die über den Hör- und den Geruchssinn wahrgenommen werden können. Der Klang der Stimme oder aber auch der Klang des Hustens kann schon erste Hinweise darauf geben, wo das Problem zu suchen ist. So läßt sich z. B. aus dem Klang eines Hustens auf das zugrundeliegende Disharmoniemuster schließen.

Auch die Ausscheidungen und deren Geruch geben Aufschlüsse über den Ort der Erkrankung. Faulig riechender Stuhlgang oder penetrant stinkender Urin geben dem Therapeuten wichtige Hilfen zur Erkennung und Behandlung der Ursache für die Störung, unter der ein Patient leidet.

Durch Nutzung unserer Sinne und die Verfahren der Betrachtung (Zunge, Körper), die Befunderhebung durch Geruch und Gehör (Atmung, Ausscheidungen), die Betastung (Haut, Pulse) und die Befragung kommt die Chinesische Medizin zu einer sehr gründlichen und sicheren Diagnose, auf der die Therapie aufbauen kann. Es werden keine weiteren technischen Hilfsmittel benötigt, was auch unter dem Aspekt der Kosteneinsparung – derzeitiges Thema Nr. 1 in unserem Gesundheitswesen – einen nicht zu unterschätzenden Vorteil gegenüber der teuren Apparatemedizin darstellt.

Von der Diagnose zur Therapie

Die Disharmoniemuster

All die in den verschiedenen diagnostischen Verfahren gesammelten Daten über den energetischen Zustand eines Patienten werden abschließend geordnet und bewertet. Es erfolgt eine Zuordnung nach unterschiedlichen Einteilungssystemen wie den Zang Fu, den sogenannten Acht Leitkriterien (Yin/Yang, Leere/Fülle, Kälte/ Hitze, Innen/Außen) oder den Fünf Wandlungsphasen. Da diese Zuordnung und Bewertung ausschließlich dem Therapeuten überlassen werden sollte, möchte ich hierauf nicht weiter eingehen. Die für Sie wichtigen Aspekte habe ich bereits in den entsprechenden Kapiteln erörtert.

Das Ergebnis des Einordnungs- und Bewertungsprozesses wird schließlich nicht etwa in einem uns geläufigen Krankheitsbegriff, sondern in einem sogenannten Disharmoniemuster formuliert, das sich in unseren Ohren manchmal recht merkwürdig anhören mag. So können Sie etwa folgende Diagnosen zu hören bekommen: »Aufsteigendes Leberfeuer«, »Feuchtigkeit bedrückt die Milz«, »Leber-Blut-Stagnation«,« Lungen-Qi- Mangel«, »Nieren-Yin-Mangel«, um nur ein paar wenige Beispiele zu nennen.

Ich möchte an dieser Stelle nochmals darauf hinweisen, daß es in der Chinesischen Medizin keine Grippe oder kein Magengeschwür gibt. Trotzdem können diese Erkrankungen natürlich behandelt werden – oft sogar gezielter in der Schulmedizin, da zum Beispiel einer Grippe eine ganze Reihe verschiedener Disharmoniemuster zugrundeliegen können. Eine Grippe kann z. B. durch eine »Lungenhitze« oder einen »Lungen-Qi-Mangel« entstanden sein und wird dann auch unterschiedlich behandelt, obwohl die Schulmedizin beides mit den gleichen Mitteln behandeln würde. Die Gleichsetzung bestimmter schulmedizinisch definierter Krankheiten mit bestimmten Disharmoniemustern birgt somit die Gefahr in sich, daß die Behandlung dem Patienten und seinen ganz individuellen Beschwerden nicht gerecht wird.

Der Behandlungsplan

Nach dieser ausführlichen Diagnoseerstellung und einer entsprechenden Einordnung schlägt der Therapeut Ihnen dann meist verschiedene Maßnahmen vor, die Ihnen dabei helfen sollen, wieder in Harmonie zu kommen. So kann etwa direkt eine Behandlung mit Akupunktur erfolgen, die im Bedarfsfall durch eine Kräuterbehandlung ergänzt wird. Wahrscheinlich wird es aber auch an Ratschlägen und Tips bezüglich einer Änderung Ihrer Lebensgewohnheiten, die Sie nicht zu leichtfertig abtun sollten, nicht fehlen. Diese Maßnahmen sind es nämlich, die den Erfolg der Therapie festigen und weiteren Erkrankungen vorbeugen. Dazu gehören Ernährungsvorschläge, Übungen aus dem Qigong oder Taiji, aber eventuell auch allgemeine Ratschläge zu Schlaf- oder Arbeitsgewohnheiten.

Über die Dauer der Behandlung läßt sich nur wenig sagen. Grundsätzlich gilt: Je länger Sie bereits an den Beschwerden leiden, die behandelt werden sollen, desto länger dauert auch die Therapie. Akute Probleme sind in der Regel schneller zu beseitigen als chronische, und eine konstitutionelle Behandlung zieht sich über einen längeren Zeitraum hin. Dies sagt jedoch noch nicht unbedingt etwas über die Kosten aus, da es bei längerfristig angelegten Behandlungen meist nicht notwendig ist, daß Sie wöchentlich zur Behandlung kommen.

Aus eigener Erfahrung kann ich Ihnen nur empfehlen, sich doch einmal einer chinesischen Behandlung zu unterziehen, und zwar besonders dann, wenn Sie schon einen langen Weg schulmedizinischer Behandlungen hinter sich haben, ohne Erfolge verzeichnen zu können. Auch hier gilt, »Wunder sind selten«, aber die Chinesische Medizin bietet auf jeden Fall Alternativen, die es wert sind, ausprobiert zu werden.

Die fünf Säulen der Chinesischen Medizin

Einleitung

Nachdem wir uns ausgiebig mit den theoretischen Grundlagen der Chinesischen Medizin beschäftigt haben, können wir uns nun endlich der Praxis zuwenden. Noch immer wird Chinesische Medizin von vielen Menschen mit Akupunktur gleichgesetzt, doch dies entspricht keineswegs der Realität. Die Chinesische Medizin ruht vielmehr auf fünf Säulen, von denen die Akupunktur keineswegs die wichtigste ist, und zwar:

- Kräuterheilkunde
- Akupunktur und Moxibustion
- Ernährungslehre
- Massage (Tuina)
- Qigong

Die Reduzierung der Chinesischen Medizin auf Akupunktur kam dadurch zustande, daß sich die ersten Berichte über Chinesische Medizin, die auch das Massenpublikum im Westen erreichten, auf den Einsatz von Akupunktur bei Operationen bezogen. Die operierten Patienten waren bei vollem Bewußtsein, also ohne Narkose, und dennoch schmerzunempfindlich, allein durch das Setzen bestimmter Akupunkturnadeln. Diese Akupunkturanalgesie, die sich allerdings später aus verschiedene Gründen nicht durchsetzen konnte, war natürlich faszinierend, und fand große Beachtung in der westlichen Presse.

In der Folge dieser Sensationsberichte galt das Interesse der Menschen im Westen also zunächst fast ausschließlich der Akupunktur. All die anderen Therapieformen der Chinesischen Medizin wurden dabei sträflich vernachlässigt, und so entstand ein völlig falsches Bild dieses Medizinsystems. Die Realität ist aber die, daß 70 80% aller Behandlungen mit Chinesischer Medizin mit Kräuterheilkunde erfolgen und daß auch Ernährungslehre, Massage und

Qigong eine wichtige Rolle spielen und fast immer ergänzend eingesetzt werden.

An den Anfang der Einzeldarstellungen der verschiedenen Therapieformen habe ich die Kräuterheilkunde gesetzt, weil sie innerhalb der Chinesischen Medizin den höchsten Stellenwert hat und gleichzeitig bei uns noch am wenigsten bekannt ist. Als ebenfalls rein professionelle Therapieformen folgen danach Akupunktur und Moxibustion. Mit der Ernährungslehre beginnt dann der praktisch orientierte Teil dieses Buches, denn hier – wie auch bei der Massage und dem Qigong – haben Sie eine ganze Reihe von Möglichkeiten, selbst etwas für sich und Ihre Gesundheit zu tun. Da mir dies besonders am Herzen liegt, nehmen diese Therapieverfahren denn auch einen sehr viel größeren Raum ein als die nur professionell einsetzbaren.

Kräuterheilkunde

Die Kräuterheilkunde ist wesentlich älter als die Akupunktur. Sie nahm schon sehr früh den höchsten Stellenwert innerhalb der Chinesischen Medizin ein und wurde meist im Zusammenhang mit eigenverantwortlichen Therapiemaßnahmen wie dem Qigong oder der Ernährungslehre in sehr großem Umfang eingesetzt.

Die Chinesische Medizin kennt über zehntausend verschiedene Kräuter, Mineralien und auch Tierbestandteile, und dieses Wissen ist über die Jahrhunderte sehr detailliert niedergeschrieben worden. (Wenn im folgenden der Einfachheit halber meist nur von Kräutern die Rede ist, so sind dabei stets auch die mineralischen und tierischen Bestandteile mit gemeint.) So klassifiziert man die Kräuter nach verschiedenen Wirkungen und Anwendungen, aber nicht die Einzelkräuter stehen im Vordergrund, sondern die sogenannten »Klassischen Rezepturen«, die sich bei bestimmten Disharmoniemustern als äußerst zuverlässig bewährt haben. Die Behandlung mit Kräutern kann äußerlich, z.B. in Form von Salben oder Umschlägen, erfolgen oder innerlich, in Form von Pillen oder Teezubereitungen (sogenannte Dekokte). Die Einteilung der Kräuter erfolgt nach folgenden Kriterien:

Temperaturverhalten

Jedes Kraut, aber auch jedes Nahrungsmittel hat ein bestimmtes Temperaturverhalten, und zwar unterscheidet man zwischen einer heißen, warmen, neutralen, erfrischenden und einer kalten Wirkung.

Da in der Chinesischen Medizin ja auch die Erkrankungen nach Hitze und Kälte klassifiziert werden, erhält man allein schon darüber eine erste Zuordnung für die Behandlung. Hat ein Patient also eine Kälte-Erkrankung, werden sicherlich keine kalt wirkenden Kräuter gegeben, da dies den Gesundheitszustand noch verschlechtern würde, sondern eher warme oder sogar heiße Kräuter. »Kälte bekämpfe mit Hitze und Hitze mit Kälte« heißt es schon im Huangdi Neijing.

Aus Sicht der Chinesischen Medizin sollten wir z. B. mit dem Umgang von Knoblauch, der bei uns ja oft in großen Mengen konsumiert wird, sehr vorsichtig sein. Knoblauch wird von seiner Wirkung im Organismus her als heiß eingestuft und kann bei Menschen mit einer schon vorhandenen Hitze im Körper natürlich eher das Befinden verschlechtern oder die Krankheit verschlimmern. Leider ist dies nicht sofort spürbar.

Erst nach Monaten, manchmal erst nach Jahren machen sich die negativen Einflüsse bemerkbar. Die gelegentliche Zufuhr von Knoblauch als Gewürz ist freilich nicht problematisch. Ich denke dabei vielmehr an die regelmäßige Anwendung von Knoblauch in Pillenform, die bei uns im Rahmen der Gesundheitsvorsorge ja sehr populär ist.

Die Chinesische Kräuterheilkunde kennt im Prinzip kein einziges Kraut oder sonstiges Heilmittel, das dauernd und in großen Mengen verzehrt werden darf. Jede Einseitigkeit wird, zumindest auf Dauer, als gesundheitsschädigend gesehen und sollte deshalb möglichst vermieden werden. Auf den Temperaturaspekt werde ich bei der Darstellung der Ernährungslehre nochmals eingehen, denn wie am Beispiel Knoblauch schon ersichtlich ist, werden Heilkräuter und Nahrungsmittel auf dieselbe Weise klassifiziert.

Geschmack

In der Kräuterheilkunde wie auch in der Ernährungslehre werden fünf verschiedene Geschmacksrichtungen unterschieden, und zwar bitter, sauer, süß, scharf und salzig. Diesen Geschmacksrichtungen werden wiederum bestimmte Wirkungen zugeschrieben:

trocknet aus	**Bitter**	leitet nach unten
bewahrt die Säfte	**Sauer**	zieht zusammen
befeuchtet, entspannt	**Süß**	baut Qi auf und verteilt es
löst Stagnation	**Scharf**	lleitet nach oben
weicht auf	**Salzig**	leitet nach unten

So erklärt sich z. B. zumindest zum Teil der Erfolg der makrobiotischen Diät gegen Krebs. Durch die Verwendung sehr vieler salziger Nahrungsmittel wird der Krebs aufgeweicht und nach unten ausgeleitet. Eine langfristige Anwendung dieser Diät ist allerdings aus der Sicht der Chinesischen Medizin abzulehnen, da prinzipiell alle Geschmäcker gleichmäßig vertreten sein sollten.

Süße Kräuter oder Nahrungsmittel bauen das Qi auf, was natürlich positiv zu bewerten ist. Mit süß ist hier jedoch nicht der künstlich hergestellte süße Geschmack gemeint. Unter süßen Lebensmitteln sind z. B. Möhren oder Hirse zu verstehen. Als Süßmittel können Honig, Fruchtsüße oder Sirup verwendet werden. Raffinierter Industriezucker hingegen baut viel Feuchtigkeit auf und schädigt die Milz, die als wichtigstes Organ für die Umwandlung von nachgeburtlichen Energien gilt.

Noch mehr Wirkung erreicht der Einsatz der Staudenpflanze »Rhizoma Atractylodis macrocephalae« bei der Stärkung von Magen und Milz, dies ist ein typisches Kraut, wie es in der Kräuterkunde der CM eingesetzt wird. Vom Geschmack ist es süß/bitter und im Temperaturverhalten warm.

Wie Sie an den bisherigen Beispielen schon sehen, gibt es eine starke Verbindung und z. T. Vermischung der Ernährungslehre und der Kräuterkunde, die in dem Satz »Ist er ein Arzt, oder ein Koch?« deutlich zum Ausdruck kommt. Dies unterstreicht nochmals den hohen Stellenwert der Ernährungslehre in der CM.

Leitbahnwirkung

Jedem Kraut oder Heilmittel wird außerdem eine besondere Wirkung auf eine oder mehrere Leitbahnen zugeschrieben. Liegt also z. B. eine Erkrankungen der Milz oder der Niere vor, so kann man in der Therapie auf Kräuter zurückgreifen, die diese Funktionskreise besonders ansprechen. So wirkt Gerste und das vorher erwähnte »Rhizoma Atractylodis macrocephalae« beispielsweise auf Magen und Milz, während Grüne Bohnen oder »Cortex Cinnamomi« Milz und Nieren stärken.

92

Behandlungsprinzipien

Jedes Kraut oder andere Heilmittel hat aufgrund verschiedener Aspekte, von denen wir gerade die wichtigsten besprochen haben, ganz bestimmte Wirkungen. So gibt es Kräuter, die eher das Qi, und andere, die eher das Blut stärken. Einige wirken auf das Yin, andere auf das Yang. Die einen tonisieren (stärken, füllen auf), andere wiederum sedieren (ziehen ab, leiten aus). Je nach Diagnose und Befund können also Behandlungspläne erstellt werden, um möglichst effektiv gegen die Beschwerden oder die Krankheit vorzugehen. Somit kristallisieren sich natürlich auch bestimmte Disharmoniemuster heraus, die besonders gut mit bestimmten Kräutern behandelt werden können. Aber auch Kontraindikationen lassen sich den Zuordnungen klar entnehmen.

Neben den hier besprochenen Einteilungsmöglichkeiten gibt es noch etliche weitere, die ich an dieser Stelle jedoch nicht vorstellen möchte, da sie nur für professionelle Behandler von Belang sind. Nach Erstellung einer Diagnose nach den Regeln der Chinesischen Medizin – eine unabdingbare Voraussetzung für eine Behandlung mit Kräutern – kann der Therapeut also entweder ein klassisches Rezept verschreiben oder aber nach entsprechenden Kriterien ein solches Rezept abwandeln oder ein eigenes Rezept erstellen. In einem solchen Rezept finden sich, je nach Beschwerde, bis zu zehn oder zwölf Bestandteile, die man in der Regel täglich zu sich nehmen oder auftragen muß.

Am häufigsten werden sogenannte Dekokte verordnet, d. h. die verschriebenen Kräuter werden in einer ganz genau festgelegten Weise und Menge in Wasser gekocht und als Tee getrunken. Daß die Erstellung einer solchen Rezeptur eine gute Ausbildung und eine gehörige Portion Erfahrung des Behandlers voraussetzt, versteht sich fast von selbst.

Wenn Sie ein Geschäft mit einem Sortiment an asiatischen Lebensmitteln in Ihrer Nähe haben, fragen Sie dort einmal nach fertig verpackten Suppenkräutern. Es gibt verschiedene Kräutermischungen wie z. B. »Si Wu Tang« oder »Si Jun Zi Tang«, die unterschiedliche Wirkungen haben und in China sehr beliebt sind. Es gibt Suppen zum Aufbau des »Wei-Qi«, welches dann vor Erkältungen schützt oder eine lang köchelnde Suppe mit Huhn, welche das Blut wieder aufbaut. Diese Suppe bekommen alle Mütter nach der Geburt, bei der ja relativ viel Blut verloren geht, was so wieder aufgefüllt wird. Diese Mischungen müssen einfach einige Zeit in Wasser köcheln. Dann werden die Kräuter herausgenommen, und man kocht aus dem Sud eine ganz normale Gemüsesuppe oder Fleischbrühe. Lassen Sie sich, falls möglich, genau beraten, damit Sie nichts zu sich nehmen, was Ihren Energiehaushalt durcheinanderbringen könnte. Der gelegentliche Verzehr kleiner Mengen wird jedoch allemal keine gesundheitlichen Probleme bereiten.

Abschließend möchte ich nochmals warnen vor dem, gerade bei uns beliebten, langfristige Verzehr irgendwelcher Kräuter oder Gewürze, besonders wenn deren Wirkung sehr stark ist. Ich denke dabei an die vielen Kapseln oder Pillen, die tagtäglich für oder gegen etwas genommen werden, ohne daß die Wirkung, gerade im Hinblick auf die im gesamten Kapitel getroffenen Feststellungen, hier bei uns bekannt ist. Sinnvoller und auf Dauer gesünder ist es, die notwendigen Nährstoffe und die Lebensenergie durch unsere Nahrung aufzunehmen.

Akupunktur und Moxibustion

Kommen wir nun zur bei uns bekanntesten Therapieform der Chinesischen Medizin, zur Akupunktur, auch Aku- und Moxa-Therapie genannt, weil die Moxibustion oftmals in Verbindung mit der Akupunktur eingesetzt wird.

Akupunktur

Bei der Akupunktur wird das Qi durch das Stechen von Nadeln in bestimmte Reizpunkte, meist Akupunkturpunkte genannt, beeinflußt. Erinnern Sie sich bitte zurück an die Leitbahnen, die unseren Körper durchziehen. Auf diesen Leitbahnen befinden sich 361 klassische und weitere neue Akupunkturpunkte. Diese Punkte sind Stellen auf den Leitbahnen, an denen man besonders gut auf den Fluß des Qi einwirken kann. Ähnlich wie bei einer Autobahnauffahrt wird die Nadel in die Haut und die Muskeln eingeführt und erreicht dort die Energie in den Leitbahnen.

Die Akupunktur ist im engsten Sinn eine sedierende Technik, d. h. wir können über eine Nadelung Qi ausleiten, aber eigentlich keine neue Energie aufbauen. Ein geschulter Therapeut kann allerdings durch gezielte Nadelung bestimmter Punkte und den Einsatz bestimmter Nadeltechniken so auf das Qi einwirken, daß es dort abgezogen wird, wo ein Übermaß vorhanden ist, oder dorthin gelenkt wird, wo es fehlt.

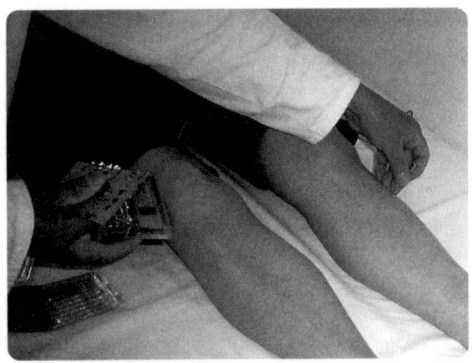

Die Akupunktur wird häufig bei akuten Krankheitsprozessen eingesetzt oder aber als schmerzlinderndes Mittel verwendet. Fast jede westliche Schmerzklinik setzt in der Zwischenzeit auch Akupunktur ein. Bei Migränepatienten zum Beispiel kann die Akupunktur wirklich Enormes leisten und den Migräneschmerz deutlich lindern oder gar ganz beseitigen. Auch bei bestimmten Gelenkerkrankungen ist die Akupunktur das Mittel der Wahl, um pathogenes (verbrauchtes, krankmachendes) Qi auszuleiten.

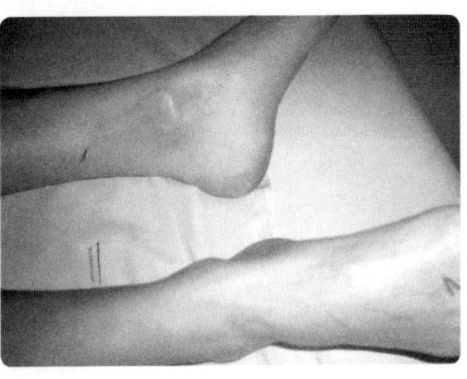

Viele Menschen aus unserem Kulturkreis haben Angst vor einer Akupunkturbehandlung. Dies ist jedoch fast immer unbegründet, denn im Gegensatz zu den Anfängen der Akupunktur vor Jahrtausenden, als noch mit recht großen Steinnadeln behandelt wurde, sind die heutigen Nadeln aus hauchdünnem Stahl, so daß der Einstich fast immer schmerzlos ist. Nur das Gefühl, welches auftritt, wenn die Nadel das Qi erreicht – die Chinesen nennen dies »De-Qi« – kann einen leichten dumpfen Schmerz oder das Gefühl eines leichten elektrischen Schlags auslösen. Dies ist aber wirklich harmlos und gut zu ertragen. Das »De-Qi« gilt in China als Zeichen einer guten, wirkungsvollen Nadelung und ist deshalb erwünscht.

Die eingestochenen Nadeln können, je nach Diagnose und Therapieziel, auf vielfältige Weise stimuliert und manipuliert werden. Die einzelnen Techniken sollen hier jedoch nicht weiter erläutert werden, weil diese Informationen nur für den Therapeuten von Belang sind. Bei Interesse können Sie dies in vielen anderen Büchern über Chinesische Medizin nachlesen (siehe auch Literaturtips im Anhang).

Moxibustion

Die sogenannte Moxibustion oder Moxa-Behandlung, die oft ergänzend zur Akupunktur eingesetzt wird, zeichnet sich dadurch aus, daß Energie (Wärme) in das System der Leitbahnen geleitet wird. Die im Westen gängigste Form der Moxa-Behandlung besteht darin, daß der Behandler eine sogenannte Moxa-Zigarre (gepreßtes Moxakraut in Zigarrenform) über bestimmte ausgewählte Akupunkturpunkte hält. Diese Zigarre wird angezündet und entwickelt eine Glut, welche die entsprechenden Punkte oder Areale gezielt erwärmt.

Weitere Formen der Moxa-Behandlung sind das Abbrennen des Krautes in Holzkistchen, mit denen größere Flächen des Körpers erwärmt werden können. Außerdem kann das Kraut auch auf eine Nadel gesteckt und abgebrannt werden. Die Wärme des abbrennenden Krautes dringt dann direkt in den Körper ein und bringt Hitze (Energie) in das Leitbahnsystem. Das verwendete Kraut, Beifuß (Artemisia vulgaris), ist auch bei uns bekannt.

Obwohl mit starker Hitze gearbeitet wird, ist auch die Moxa-Behandlung in der Regel völlig schmerzfrei, ja wird sogar meist als sehr angenehm empfunden.

Die Moxibustion kann mit nur minimalem Grundwissen auch von den Patienten selbst zu Hause durchgeführt werden. Der Behandler leitet seine Patienten dazu genauestens an, um häufige Praxisbesuche und damit natürlich verbundene Kosten für den Patienten zu verringern. Häufig werden Akupunktur und Moxibustion durch Kräuterbehandlungen oder andere therapeutische Maßnahmen ergänzt. Mit 15 bis 20 % aller Behandlungen mit Chinesischer Medizin ist der Stellenwert der Aku-Moxa-Therapie, wie bereits erwähnt, in China lange nicht so groß, wie bei uns oft angenommen und behauptet wird.

Trotz der genannten Einschränkungen kann die Aku-Moxa-Therapie aber auch als alleiniges Mittel zur Bekämpfung klar eingegrenzter Beschwerden eingesetzt werden. Da sie zur Gruppe der sogenannten »Regulationstherapien« zählt, bei denen dem Körper ein Impuls zur Selbstheilung gegeben wird, tritt eine Wirkung in der Regel nicht sofort ein, sondern erst nach einigen Tagen. Es kann aber auch sein, daß man die Nadelung selbst schon als sehr angenehm und wohltuend empfindet oder daß Schmerzen schlagartig weniger werden oder sofort völlig verschwinden. Dies ist aber nicht die Regel!

Ernährungslehre

Gerade in unserer heutigen Zeit, in der die Ernährungs- und Diät-methoden so schnell wechseln, daß wir ihnen kaum noch folgen können, bietet die seit Jahrtausenden erprobte und immer noch gültige Ernährungslehre der Chinesen einen wirklich guten Ansatz, sich gesund und fit zu halten. Auch hier haben wir es mit einem alten Wissen zu tun, welches sowohl von Ärzten als auch von Daoisten oder anderen philosophisch orientierten Menschen erprobt und systematisiert wurde.

Schon sehr früh entdeckte man im alten China den Zusammenhang zwischen ausreichender Energieversorgung und entsprechender Nahrungszufuhr. Die chinesische Ernährungslehre kennt keine Vitamine, Mineralien oder andere chemisch untersuchbaren Bestandteile der Nahrung. Sie basiert vielmehr auf dem Wissen der Chinesischen Medizin über das Qi, jene Energie, die für das gesamte Leben des Menschen so notwendig ist. Interessanterweise ist aber Ihre Versorgung mit Vitaminen, Mineralien etc. ebenfalls sichergestellt, wenn Sie sich aus chinesischer Sicht gut und ausgewogen ernähren.

Bei der chinesischen Ernährungslehre haben wir es, ähnlich wie bei der Kräuterheilkunde, mit der Einordnung von Nahrungsmitteln in bezug auf ihre Wirkungen auf unseren Organismus zu tun. Es gibt zahlreiche umfangreiche Bücher, welche die Klassifizierung von Nahrungsmitteln zum Thema haben, und einige Ärzte haben diesem Thema ihr gesamtes Leben gewidmet.

Bevor wir richtig in die Materie einsteigen möchte ich Sie, liebe Leserinnen und Leser, darum bitten, die dargestellten Informationen nicht übereilt und unkontrolliert zu bewerten oder abzulehnen, nur weil Sie sich das alles nicht so recht vorstellen können. Wenn Sie skeptisch sind bezüglich mancher Aussagen, probieren Sie es aus. Halten Sie sich einmal acht bis zwölf Wochen auch nur halbwegs an die entsprechenden Regeln der chinesischen Ernährungslehre, und Sie werden die positiven Wirkung spüren und gar nicht mehr darauf verzichten wollen.

Übrigens kann man mit der Umstellung der Ernährung nach den genannten Richtlinien auch hervorragend und sozusagen fast nebenbei abnehmen, ohne hungern zu müssen.

Grundregeln

Beginnen wir mit den einfachsten und grundlegenden Regeln einer vernünftigen, gesunden Ernährung. Bei dieser Darstellung der Grundlagen handelt es sich um allgemeine Aussagen in bezug auf eine gute Ernährung im Sinne der Gesundheitsvorsorge. Setzt man die Ernährung zu Heilzwecken ein, sehen die Anforderungen und Richtlinien je nach Beschwerdebild natürlich anders aus.

Was wir essen sollten

Die erste Regel der chinesischen Ernährungslehre lautet: *Alles ist erlaubt, aber in Maßen!* Und weiter: *Alles Einseitige ist zu vermeiden, Vielseitigkeit ist das oberste Gebot!* Wie Sie aus diesen beiden Grundsätzen schon erkennen können, kennt die chinesische Ernährungslehre keine kategorischen Verbote und keine absolute Bevorzugung bestimmter Nahrungsmittel. Jede einseitig betriebene Ernährung über einen längeren Zeitraum wird abgelehnt. Hintergrund dieser Forderung ist das Wissen darum, daß bei langfristigem Verzicht auf bestimmte wichtige Nahrungsmittel ein Mangel in der Energieversorgung des Menschen entsteht.

Konkret heißt das: Sie dürfen z. B. durchaus ab und zu mal fettig essen, Alkohol trinken oder Fast Food zu sich nehmen, aber eben nicht dauernd. Sie sollten auch nicht jeden zweiten Tag Ihr Lieblingsgericht auf den Tisch bringen, sondern abwechslungsreiche Menüs kochen und viele verschiedene hochwertige Lebensmittel regelmäßig zu sich nehmen.

Auch auf die »*Fünf Geschmäcker*« trifft dies zu. In unserer Gesellschaft haben sich insbesondere zwei Geschmacksrichtungen übermäßig in den Vordergrund geschoben. Dies sind der salzige und der süße Geschmack. In fast allen Fertigprodukten, in Aufschnitt und Käse, in Keksen oder Kuchen, in Mehl und Nudeln, Cola oder Saft, finden wir leider – neben unendlich vielen chemischen Stoffen, die ein gesondertes Problem darstellen – sehr häufig und in hohen Mengen Salz oder Zucker. Unser Gaumen ist auf diese beiden Geschmäcker derart »getrimmt« worden, daß wir das rechte Maß an Salz und Zucker nicht mehr abschätzen können. Vor allem die versteckten Inhaltsstoffe sorgen dafür, daß wir Salziges und Süßes im Übermaß zu uns nehmen.

Die drei anderen Geschmacksrichtungen, bitter, sauer und scharf, werden dagegen oft vergessen oder stehen zumindest in keinem vernünftigen Verhältnis zu den beiden ersteren. Die Ausgewogenheit der fünf Geschmacksrichtungen ist jedoch von enormer Bedeutung für unser Wohlbefinden. Hier ein kurzes Zitat aus den Klassikern, in welchem dies deutlich formuliert wird:

»Wenn die Menschen den fünf Geschmacksrichtungen Aufmerksamkeit zollen und sie gut mischen, werden ihre Knochen fest bleiben, ihre Muskeln weich und jung, Atem und Blut werden ungehindert fließen, die Poren werden von feiner Struktur sein, und deshalb werden Atem und Knochen vom Geist des Lebens erfüllt sein.«

Aus der Sicht der chinesischen Ernährungslehre sollten wir außerdem möglichst keine oder zumindest nur wenig Tiefkühlkost zu uns nehmen und auf die Mikrowelle ganz verzichten. Die Mikrowelle ist ja auch bei uns nicht unumstritten wegen der noch unbekannten Strahlenwirkung. Aus chinesischer Sicht haben Lebensmittel, die in der Mikrowelle zubereitet werden, kein Qi mehr. Sie zerstört das Qi, d. h. den wichtigsten Teil der Nahrung, und deshalb können uns die so behandelten Lebensmittel keine Energie mehr liefern.

Ähnlich verhält es sich mit der Tiefkühlkost, wobei hier das Qi der Nahrung durch den starken Kühlungsprozeß beeinträchtigt wird. Etwas ausgleichen kann man das durch Hinzufügen warmer Kräuter wie Ingwer oder Lauch. Wenn dann noch Tiefkühlkost in der Mikrowelle zubereitet wird, dann, so pflegte meine Ernährungslehrerin immer zu sagen, »könnt Ihr gleich Papier essen.«

Harte Worte, sicherlich, aber die Erfahrungen aus den USA, wo man bekanntlich ja immer ein wenig weiter ist als bei uns, sprechen eine deutliche Sprache. Neben der starken Gewichtszunahme, die bei vielen Amerikanern deutlich zu sehen ist und die ja für sich genommen schon viele negative Auswirkungen auf die Gesundheit hat, haben dort Beschwerden und Krankheiten zugenommen, die nur durch eine Änderung der Ernährung behoben werden können. Besonders bei Kindern zeigt sich dies deutlich durch erhöhte Infektanfälligkeit, großes Übergewicht, Hyperaktivität und viele andere Beschwerden.

Auch hier sei jedoch an die ersten Regeln erinnert: Ab und zu mal etwas aus der Tiefkühltruhe oder der Mikrowelle zu essen, ist sicher nicht schädlich. Dauernd praktiziert führt es jedoch zu gesundheitlichen Problemen, und Sie sollten deshalb generell darauf achten, daß Sie frische Lebensmittel benutzen. Nur mit diesen können Sie Ihr Qi aufbauen.

Wie und wann wir essen sollten

Ein weiterer allgemeiner Ernährungsratschlag heißt: Esse mit Liebe und genieße es. Wenn Sie dauernd an Ihrem Essen rummäkeln oder bei jeder Nichtbeachtung der Regeln ein schlechtes Gewissen bekommen, ist dies der Nahrungsverarbeitung nicht förderlich. Der Umkehrschluß allerdings, daß Pommes mit Currywurst zuträglich seien, wenn sie denn täglich »genossen« werden, weil Sie sie doch so gerne essen, ist freilich nicht erlaubt.

Als eine weitere Grundregel möchte ich ein Sprichwort aufgreifen, das ich von meiner Oma gelernt habe und das sich interessanterweise in der chinesischen Ernährungslehre genauso wiederfindet: »Esse morgens wie ein König, mittags wie ein Edelmann und abends wie ein Bettler«. Bei der Besprechung der Organuhr (siehe Seite 64 ff.) habe ich bereits darauf hingewiesen, warum insbesondere ein zu üppiges Abendessen unserem Verdauungsapparat auf längere Zeit gesehen gar nicht gut tut. Weiter heißt es in der chinesischen Ernährungslehre, daß wir die Mahlzeiten entspannt zu uns nehmen sollten und uns beim Essen ausschließlich diesem widmen sollten. Im Klartext bedeutet dies, daß man z. B. auf das Zeitunglesen beim Essen oder auch auf die Unsitte der Geschäftsessen verzichten sollte. Essen ist essen und nichts anderes!

An dieser Stelle fällt mir eine Geschichte von einem Zen-Mönch ein, in der sehr gut zum Ausdruck kommt, daß wir es verlernt haben, im Augenblick zu leben und diesen zu genießen, sondern immer schon einen Schritt weiter sind.

Der Zen-Mönch sprach: »Wenn ich stehe, dann stehe ich; wenn ich gehe, dann gehe ich; wenn ich sitze, dann sitze ich; wenn ich esse, dann esse ich; wenn ich spreche, dann spreche ich.« Da fielen ihm die Fragesteller ins Wort und sagten: »Dies tun wir auch, aber was machst du noch darüber hinaus?« Der Mönch wiederholte die ersten Sätze. Wieder fielen ihm die Zuhörer ins Wort und meinten: »Dies tun wir auch!« Er aber sagte zu ihnen:»Nein, wenn ihr sitzt, dann steht ihr schon; wenn ihr steht dann lauft ihr schon und wenn ihr lauft, dann seid ihr schon am Ziel!«

Eine schöne Geschichte, an der wir einmal unser eigenes Tun und Handeln überprüfen sollten.

Ein anderes chinesisches Sprichwort der Chinesen lautet: *»Der Magen hat keine Zähne«*. Auch dies kennen wir aus unserer Kultur. Jeder Bissen sollte gut gekaut werden, denn der Verdauungsprozeß beginnt mit dem Kauen im Mund.

Und zum Abschluß: *»Höre auf, wenn es am Besten schmeckt!«* Auch dies ist ein wichtiger Grundsatz, der gerade bei uns immer mehr uns Hintertreffen gerät. Wir essen gerne, bis wir so satt sind, daß wir uns kaum noch bewegen können.

All diese Leitlinien, die ich Ihnen auf den letzten Seiten vorgestellt habe, sind doch eigentlich recht einfach einzuhalten, oder‽! Natürlich müssen Sie Ihren Lebenswandel vielleicht ein wenig ändern, aber dies ist ohne große Einschnitte machbar, wenn Sie es nur wollen.

Yin / Yang und die Bedeutung des Kochens

Auch in der Ernährungslehre treffen wir natürlich wieder auf die Polarität von Yin und Yang.

Nahrungsmittel, die als Yang eingeordnet sind, sind z.B. Rindfleisch, Lammfleisch, Pfeffer, Knoblauch, Fenchel, Feige, Erbsen, Butter, Zucker, Hering, Huhn, Ingwer, Kartoffel, Kirsche, Kohl, Lauch, Reis und Zwiebel.

Dem Yin zugeordnet werden z.B. Gerste, Kopfsalat, Krebstiere, Banane, Muscheln, Salz, Tomate, Wasser, Weizen, Gurke oder Seetang.

Die »yangigen« Lebensmittel bewegen das Qi nach außen und oben, aktivieren und erwärmen eher, während die »yinigen« Lebensmittel das Qi eher sammeln und nach innen zentrieren, verlangsamen und insgesamt kühlend wirken. Die Yang-Nahrungsmittel bauen somit Qi auf, während die Yin-Nahrungsmittel eher Blut und Säfte tonisieren.

Da die Frau zum Yin und der Mann zum Yang tendiert, sollten Frauen eher mal ein Stück Fleisch oder auch ein wenig scharfe Gewürze zu sich nehmen, um ihr Yang zu starken, während Männer sich ruhig mal einen Salat schmecken lassen und auf Fleisch verzichten sollten, um ihr Yin zu unterstützen.

Generell läßt sich aus chinesischer Sicht festhalten, daß wir uns ausgewogen, aber auch den Umständen angepaßt ernähren sollten, was z. B. bedeutet, daß wir im Winter anders essen sollten als im Sommer. Während wir im Sommer eher mal kühlende Nahrung zu uns nehmen können, sollten wir im Winter verstärkt auf erwärmende Lebensmittel zurückgreifen, wobei beides nicht übertrieben werden darf. So darf der Anteil an ungekochter Nahrung im Sommer zwar höher sein als im Winter. Wir sollten aber auch im Sommer mindestens einmal, besser zweimal täglich gekochte Nahrung zu uns nehmen. Im Winter dürfen es auch drei warme Mahlzeiten sein.

Warum das Kochen in der chinesischen Ernährungslehre als so immens wichtig gilt, habe ich an einem kleinen Schaubild verdeutlicht.

Der Verdauungsvorgang wird in der Chinesischen Medizin als eine Art Kochvorgang gesehen. Dafür zuständig sind die Funktionen von Magen und Milz, auch »Mittlerer Erwärmer« genannt. Der Magen ist auf der Abbildung als Topf dargestellt, der auf einem Feuer steht. Die Milz sorgt für Hitze, die Qi und Blut und andere wichtige Flüssigkeiten aus der Nahrung herausfiltert.

Was von der Nahrung bei uns als Energie ankommt, ist also keineswegs einfach das, was wir uns zuführen, sondern das, was wir verdauen. Wenn wir unsere Nahrung kochen, einweichen und mahlen, erleichtern wir den Verdauungsvorgang für Magen und Milz.

Kühle oder kalte Lebensmittel erschweren hingegen den inneren Kochvorgang erheblich, da sie die innere Hitze herunterkühlen. Im Übermaß genossen, schwächen sie also die Verdauung und entziehen der Milz ihre Energie.

Wichtig ist es, das Essen zwar zu kochen, es aber auch nicht zu zerkochen. Es soll gut verdaulich sein, durch den Kochprozeß aber nicht an Geschmack und Energie verlieren. Das kurze Anbraten im chinesischen Wok erfüllt diese Bedingungen geradezu ideal.

Doch ich möchte Sie nicht überstrapazieren mit Theorie. Lassen Sie uns zur Praxis übergehen und betrachten, wie Sie Ihre Mahlzeiten über den Tag gestalten können.

Das Frühstück

Das Frühstück sollte, wie bereits erwähnt, die größte Mahlzeit des Tages sein. Ich möchte Ihnen zwei Rezepte vorstellen, die sich für ein gesundes und leckeres Frühstücksmahl eignen.

Getreide mit Obst in verschiedenen Variationen

Dieses Rezept ist leicht süßlich, kann aber durch kleine Änderungen der Zutaten auch herzhaft oder leicht säuerlich zubereitet werden.

Nehmen Sie Hirse und kochen Sie sie in der 2-3fachen Menge Wasser (1 Tasse Hirse auf 2-3 Tassen Wasser für eine Portion). Wenn das Wasser kocht, können Sie den Herd ausstellen. Lassen Sie die Hirse dann circa 20 Minuten nachquellen.

Nehmen Sie von dieser Hirse soviel, wie Sie für eine Mahlzeit benötigen, und füllen Sie sie in einen Topf. Gießen Sie ein wenig Roten Traubensaft dazu, lassen Sie das Ganze kurz aufkochen, und das war's. Dies ist das Grundrezept.

Falls Sie es gerne etwas süßer haben, können Sie den Hirsebrei mit Honig oder Ahornsirup abschmecken. Ein kleiner Schuß Sahne verfeinert das Ganze enorm. Wenn Sie die Hirse statt mit Traubensaft mit fertigem Soja-Vanille-Pudding aufkochen, ergibt sich ein ganz anderer Geschmack. Außerdem können Sie den Brei mit Getreideflocken anreichern. Auch das ist sehr schmackhaft. Ab und zu können Sie auch nur Flocken nehmen, und statt Saft tut es auch mal einfaches Wasser. Oder probieren Sie es mit ein wenig Dickmilch oder Joghurt. Sehr lecker schmecken auch geröstete Nüsse oder Mandelsplitter dazu, die Sie in circa drei Minuten in einer kleinen Pfanne zubereiten können, oder Kompott, das über die Hirse gegeben wird. Auch Kompott stärkt Magen und Milz.

Wer andere Getreidesorten bevorzugt, kann den Brei natürlich auch z. B. mit Hafer, Weizen oder Roggen zubereiten oder mit einer Mischung aus verschiedenen Sorten. Allerdings ist zu beachten, daß andere Getreide am Abend vorher in Wasser eingeweicht werden müssen und eine längere Kochzeit haben. Lassen Sie sich aber davon nicht abhalten. Sie glauben gar nicht, wie leicht Ihnen die Zubereitung fallen wird, wenn Sie sich daran gewöhnt haben.

Ich setze das Getreide z. B. immer für drei Tage an. Morgens nehme ich mir soviel, wie ich mag. Den Rest stelle ich an einen kühlen Ort bis zum nächsten Morgen. Danach wechsle ich die Getreidesorte für die nächsten drei Tage. Nach kurzer Zeit ist der Arbeitsaufwand nicht wesentlich höher als der für die Zubereitung eines normalen Frühstücks.

Wie Sie sehen, sind Ihrer Phantasie bei diesem Grundrezept keine Grenzen gesetzt. Probieren geht über studieren. Sicherlich fallen Ihnen noch andere wohlschmeckende Varianten ein.

Trinken Sie nach dem Essen eine Tasse Kaffee oder Tee oder auch warmes Wasser, ganz wie es Ihnen beliebt. Versuchen Sie aber, zum Essen selbst nichts zu trinken. Wenn Sie schon durstig aufwachen, ist es günstig, etwa fünfzehn Minuten vor dem Frühstück etwas zu trinken. Ansonsten sollten Sie nach dem Essen etwa fünfzehn Minuten mit dem Trinken warten.

Falls Sie die Möglichkeit haben, bei Ihrer Arbeit etwas aufzuwärmen, können Sie eventuelle Reste Ihres Frühstücks mitnehmen und dort zwischendurch zu sich nehmen. Wenn dies nicht möglich ist, können Sie den Getreidebrei natürlich auch kalt essen.

Congee

Das zweite Rezept ist spezifischer als das erste. Es ist besonders leicht verdaulich und deshalb besonders geeignet für Menschen mit Magenproblemen, was allerdings nicht heißen soll, daß gesunde Menschen es nicht essen dürften. Man nennt diese speziellen Breie, die ich Ihnen jetzt vorstellen möchte, auch Congees.

Nehmen Sie 2 Teile Reis und 1 Teil Süßreis (Moschireis), dazu die 6 - 8fache Menge Wasser. Setzen Sie das Ganze auf den Herd und erwärmen es. Wenn es zu kochen beginnt, stellen Sie die Herdplatte auf geringe Hitze und lassen die Zutaten einige Stunden vor sich hin köcheln. Keine Sorge, Sie brauchen nicht die ganze Zeit daneben zu stehen. Nach 3 - 6 Stunden ist ein schleimiger Brei entstanden. Diesen können Sie wiederum mit verschiedenen Zutaten – ganz nach Ihrem Geschmack – verfeinern und ebenfalls warm zu sich nehmen.

Der Schleim legt sich wie ein Schutzschild über die Magenschleimhaut und schützt die Magenwand vor Säuren und den daraus resultierenden Geschwüren oder Entzündungen. Menschen, die sowieso schon zuviel Schleim im Körper haben, sollten allerdings etwas vorsichtig mit Congees sein. (Aufgedunsenheit, Orangenhaut, schleimiger Zungenbelag, Übergewicht sind einige Zeichen für Schleim im Körper.)

Wenn Sie die Regel der Vielseitigkeit beachten und nur hin und wieder Congees essen, kann aber eigentlich nichts schiefgehen.

Das zweite Frühstück

Als zweites Frühstück können Sie, wie schon erwähnt, den Rest des ersten Frühstücks zu sich nehmen. Sie können aber auch etwas Obst, Brot, Joghurt oder was Sie sonst mögen essen.

Als Getränk empfiehlt sich Tee, aber möglichst nicht jeden Tag dieselbe Sorte. Stellen Sie sich ein Teesortiment von circa 10 - 15 Teesorten zusammen, so daß Sie Abwechslung in Ihr Trinken bringen können. Achten Sie dabei auf die thermische Wirkung der Tees. Es gibt Sorten die erwärmen und solche, die eher kühlend auf den Körper wirken. Je nach Jahreszeit und Bedarf sollten Sie die Sorte wechseln.

Erwärmende Tees sind z. B. Yogitee, Fencheltee und Sternanistee, aber auch Kaffee und Kakao haben eine wärme Wirkung. Kühlende Tees sind Mangotee, Schwarzer und Grüner Tee, Hibiskustee, Hagebuttentee, Malventee, um nur einige zu nennen. Eher neutral, d. h. weder erwärmend noch kühlend, sind Maishaartee und Süßholztee.

Wichtig zu wissen ist, daß sowohl Maishaartee als auch Schwarzer und Grüner Tee sowie der oft so heiß geliebte Kaffee den Körper austrocknen. Dies bedeutet, daß der Körper beim Verzehr größerer Mengen Säfte verliert. Zeichen dafür sind u. a. trockene Haut und trockene, stumpfe Haare.

Das Mittagessen

Was das Mittagessen angeht, möchte ich Ihnen nur ein paar generelle Vorschläge und Ideen unterbreiten, wie Sie ein Mittagsmenü gestalten können.

Auch hier gilt der Grundsatz, daß der überwiegende Teil des Essens warm bzw. gekocht sein sollte. Salate runden die Mittagsspeise ab, sollten aber, außer vielleicht mal im Sommer, nicht als Hauptspeise verzehrt werden.

Den Hauptbestandteil des Mittagessens sollten kurz gebratene, gekochte oder gedünstete Gemüse und Getreide bilden. Versuchen Sie auch hier, möglichst alle Geschmäcker zu vereinen – entweder durch entsprechende Gewürze oder indem Sie z. B. eine Vorspeise mit saurem Geschmack, eine Hauptspeise mit salzigem und / oder scharfem Geschmack und eine süße Nachspeise (allerdings möglichst ohne Zucker) anrichten.

Fleisch und Fisch sollten Sie nur ein- bis zweimal pro Woche verzehren.

Für uns am ungewohntesten ist sicherlich die Einbindung von Getreide in das Mittagessen. Hierzu haben Sie verschiedene Möglichkeiten. z. B. können Sie Bratlinge aus Getreide herstellen, die nahrhaft und sehr schmackhaft sind. Weiterhin bietet es sich an, den Salaten Getreideanteile beizugeben. Oder Sie können die Salate mit Sprossen, Flocken oder Sesam anreichern.

Ein Beispiel für eine Suppe mit Getreide möchte ich Ihnen hier etwas ausführlicher darstellen.

Dinkelsuppe

Nehmen Sie Dinkelkörner und weichen diese über Nacht ein. Köcheln Sie sie circa 1 Stunde lang in Wasser, dem Sie einen Gemüsebrühwürfel hinzugeben. Dazu schneiden Sie möglichst frisches Gemüse der Saison hinein und geben entsprechende Gewürze dazu. Wenn Sie wollen, können Sie auch Mettwurst o. ä. hinzufügen. Sie werden feststellen, wie gut Getreide schmecken kann!

Getreide entschlackt den Körper. Besonders Dinkel wird in der chinesischen Küche – insbesondere im Frühjahr – gerne als Entschlackungsmittel in Kurform eingesetzt. Über fünf bis zehn Tage bildet der Dinkel dann den Hauptanteil des Essens. Sie erreichen damit eine ähnliche Wirkung wie beim Fasten, nur daß Sie dem Körper trotzdem Energie zuführen, was aus chinesischer Sicht sehr wichtig ist, damit die vorgeburtlichen Energien nicht angegriffen werden.

Kraftsuppen

Abschließend noch ein Rezept für einen wohlschmeckenden Eintopf mit Qi aufbauender Wirkung:

Nehmen Sie frisches (nicht eingefrorenes!) Rindfleisch und Rinderknochen als Suppengrundlage, und lassen Sie diese 5 - 8 Stunden in einer entsprechenden Wassermenge köcheln. Anschließend nehmen Sie das Fleisch heraus, da es kaum noch Geschmack hat. Worauf es ankommt, ist, daß sich jetzt die ganze Energie des Fleisches in der Suppe befindet.

Geben Sie dann Getreide nach Wahl dazu und lassen dies nochmals circa 1 Stunde in der Brühe kochen. Jetzt brauchen Sie nur noch passend Gemüse und Gewürze dazuzugeben und bißfest garen zu lassen – fertig ist die Kraftsuppe.

Wenn Sie statt Rindfleisch ein Suppenhuhn nehmen, bauen Sie damit eher das Blut auf.

Diese Kraftsuppen schmecken nicht nur, sie erwärmen auch, bauen Energie auf und sind besonders im Winter zu empfehlen.

Eine Zwischenmahlzeit am Nachmittag

Nachmittags können Sie eine kleine Zwischenmahlzeit in Form von Vollkornkuchen oder Vollkornkeksen zu sich nehmen, aber auch ein wenig Obst ist möglich. Zu trinken gibt es warmes Wasser oder Tee. Mineralwasser können Sie ebenfalls trinken, jedoch nicht mehrere Liter am Tag. Da Mineralwasser kalt ist und auch von der Wirkung stark kühlt, schädigt es die Verdauungsorgane und kühlt die Nieren, wenn es im Übermaß getrunken wird.

Das Abendessen

Die letzte Mahlzeit des Tages sollten Sie nicht nach 18 Uhr einnehmen, da dann die Verdauungsorgane, Magen und Milz, die geringste Energie haben, also ihre Aufgabe am schlechtesten erfüllen können.

Möglich sind, besonders im Winter, nochmals ein wenig Suppe mit Brot oder Eierspeisen. Brot mit Aufschnitt, Käse, Gurke, Tomate o. ä. sind sicherlich auch gesund. Im Sommer ist ein schöner Salat mit Beilage ebenfalls sehr wohlschmeckend.

Das abendliche Essen gehen sollte auf jeden Fall nicht überhand nehmen. Wenn Sie unbedingt spät am Abend noch etwas essen müssen, sollten Sie sich zügeln, um es Ihren Verdauungsorganen möglichst leicht zu machen.

Resümee

Abschließend möchte ich nochmals darauf hinweisen, daß ich Ihnen keine ehernen Gesetze verkündet habe. Meine Vorschläge sind vielmehr als Anregungen zu verstehen. Ihrer Phantasie sind keine Grenzen gesetzt, solange Sie sich halbwegs an die Grundregeln halten.

Warnen möchte ich an dieser Stelle allerdings noch die Rohkost-, Milchprodukte- und Obstliebhaber. Gerade in der Zusammenstellung dieser Lebensmittel liegt eine große Gefahr, weil sie sehr stark kühlen und zudem auch noch Feuchtigkeit bilden, was auf Dauer sehr ungesund ist. Wenn ich von Dauer spreche, rede ich von Jahren. Leider dauert es so lange, bis sich die Wirkungen einseitiger Ernährung durch Beschwerden und Krankheiten zeigen. Lassen Sie sich also vom trügerischen Gefühl des »ich fühle mich aber fit« nicht täuschen.

An die Adresse der Vegetarier richte ich den Appell, sich erst recht an die Grundregel des regelmäßigen Kochens zu halten, um keine

Mangelerscheinungen herauf zu beschwören. Wenn Sie ständig kalte Hände, Füße, Knie, Nieren oder einen kalten Po haben, sind dies eindeutige Zeichen dafür, daß es Ihnen an Wärme, an gekochter Nahrung fehlt.

Selbstverständlich sind auch die ewigen Fleischesser gefährdet. Fleischverzehr erzeugt viele Schlackenstoffe, die der Körper oft nicht abbauen kann und die sich dann als Ablagerungen z. B. in Gelenken festsetzen. Und das scharfe Braten oder Grillen – meist auch noch in Verbindung mit scharfen Gewürzen – baut Hitze im Körper auf, die natürlich auch nicht gesund ist.

Abschließend möchte ich noch die »Fastenfanatiker« warnen. Aus chinesischer Sicht greift der Körper, wenn er nicht genügend Nahrung zur Verfügung gestellt bekommt, auf die vorgeburtlichen Energien zurück. Diese stellen aber sozusagen unseren Lebensspeicher dar, den wir möglichst schonen und nicht vorzeitig angreifen sollten. Statt des Fastens bieten sich als wirklich gesunde Alternative Getreidekuren an. Diese leiten ebenfalls Schlacken und Schadstoffe aus und versorgen den Körper trotzdem mit genügend Energie.

Überhaupt sollte jede einseitige Diät unterlassen werden. Sinnvoller und auf Dauer gesünder ist eine langsame Umstellung der Ernährung.

Erwähnen möchte ich noch, daß es auch Ernährungsrichtlinien für Kinder gibt. Diese darzustellen würde allerdings den Rahmen dieses Buches sprengen. Entsprechende Literaturtips zur gesamten chinesischen Ernährungslehre einschließlich praxisnaher Kochbücher finden Sie im Anhang dieses Buches.

Ich hoffe, ich habe Ihnen im wahrsten Sinne des Wortes Appetit machen können auf die gesunde und wohlschmeckende Ernährung nach den Regeln der Chinesischen Ernährungslehre.

Massage (Tuina)

Kommen wir nun zu einer weiteren sehr interessanten Säule der Chinesischen Medizin, der Behandlung mit Massagen verschiedenster Art. Die Massagetechniken, chinesisch Tuina oder Anmo genannt, sind ausgesprochen vielfältig und erfordern ein intensives, mehrjähriges Studium, wenn man sie gut beherrschen will. So gibt es Techniken, die der bei uns bekannten Schwedischen Massage sehr ähneln, aber darüber hinaus noch viele weitere Methoden und Techniken, die dazu dienen, Einfluß auf das energetische Geschehen im menschlichen Körper zu nehmen. So können z. B. bestimmte Reizpunkte, ähnlich wie in der Akupunktur, mit den Händen oder Fingern stimuliert werden, um Beschwerden zu lindern oder zu beheben. Bei uns sind solche Techniken bekannt geworden unter dem Begriff der Akupressur. Die Einflußnahme ist dabei nicht so stark und effektiv ist wie bei der Akupunktur. Es lassen sich aber auch mit Akupressur sehr viele positive Wirkungen, selbst auf Erkrankungen der inneren Organe, erzielen.

Besonders interessant dabei ist, daß Sie selbst einen Teil dieser Massagen durchführen können, d. h. also, daß Sie selbst etwas für sich tun können. In bezug auf die Behandlungskosten und auf die Verfügbarkeit ist das ein nicht zu unterschätzender Faktor, und ich möchte mich deshalb in diesem Kapitel fast ausschließlich mit dem Bereich der Massagen befassen, den Sie an sich selbst oder an anderen Menschen durchführen können.

Grundsätzlich ist aus chinesischer Sicht jede Form von Berührung eine Art von Massage. Gerade in unserer zivilisierten Welt, in der »High-Tech« einen großen Teil ehemals menschlicher Aktivitäten übernommen hat, stellen Massagen eine sehr schöne und einfache Methode dar, wieder in Kontakt mit unserer wirklichen Natur zu kommen.

Im Folgenden möchte ich Ihnen ein paar Massagen vorstellen, die leicht zu erlernen und durchzuführen sind und dennoch eine große Wirkung zeigen – besonders wenn sie regelmäßig, möglichst alle ein bis zwei Tage, praktiziert werden. Wenn möglich, sollten Sie sich von einer anderen Person, z. B. von Ihrem Partner oder Ihrer Partnerin, massieren lassen, denn der Entspannungseffekt ist natürlich am größten, wenn man selbst nichts tun muß. Läßt sich dies nicht machen, können Sie die vorgestellten Techniken aber auch als Selbstmassagen durchführen.

Die Hände als »Werkzeug«

Bevor wir uns den einzelnen Massagen zuwenden, noch ein Blick auf unsere Hände, das »Werkzeug«, das wir für eine Massage benötigen. Beim professionell ausgeführten Tuina gibt es auch Techniken, die mit der Faust, dem Ellenbogen oder gar mit dem Knie durchgeführt werden. Solche Techniken sollten aber eher den Könnern überlassen werden, und wir konzentrieren uns deshalb ganz auf die Hände.

Auf jeden Fall sollten Ihre Hände warm sein, wenn Sie massieren, was Sie z. B. durch ein kurzes Waschen der Hände mit warmem Wasser oder besser durch kräftiges Reiben der Handflächen gegeneinander erreichen können.

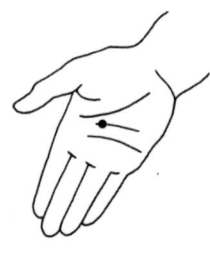

Wichtig für alle im folgenden dargestellten Techniken ist der Akupunkturpunkt »Laogong« (Mitte des Handtellers), der fast in der Handmitte, ein wenig zur Daumenseite hin liegt.

Dieser Punkt liegt auf der Herzbeutel-Leitbahn und ist einer der empfindlichsten Akupunkturpunkte überhaupt. Über jede Bewegung der Hand und insbesondere dieses Punktes wird das Qi des zu Massierenden bewegt.

Jede Selbstmassage bewirkt also auch eine Bewegung unserer Energien und beugt so der »Stauung von Qi und Blut« vor, wie die Chinesen es nennen. Verspannungen sind z. B. eine Folge der Stauung von Qi, die immer auch durch Schmerzen angezeigt wird.

Oft können Sie am Laogong-Punkt ein leichtes Kribbeln oder Pulsieren spüren, das die Aktivität des Qi anzeigt. Wenn Sie also sich oder andere mit den Fingern oder den Händen massieren, bewegen Sie die Energien und regen den Qi-Fluß an.

Zu Beginn einer Massage reiben Sie eine Zeitlang die Hände gegeneinander, bis sie sich angenehm warm anfühlen. Wenn Sie wollen, können Sie ein schönes, nach Ihren Wünschen ausgesuchtes Massageöl benutzen, das die Massage noch besser wirken läßt. Es geht aber natürlich auch ohne Öl.

Die im folgenden vorgestellten Massagen können Sie alle in einem Durchgang durchführen. Sie können aber auch, je nach Bedarf, einzelne Abschnitte auswählen.

Während der Massage gilt generell, daß Ihre Gedanken immer da sind, wo Sie gerade massieren. »Der Geist führt das Qi«, heißt es, und deshalb unterstützt diese Konzentration den Massageeffekt, da das Qi dann auch das Blut führt.

Fußmassage

Beginnen wir mit den Füßen. Eine kleine Fußmassage ist ein »Dankeschön« an die Füße, die uns täglich Kilometer weit tragen müssen und enorme Arbeit zu leisten haben. Wer von Ihnen kennt nicht schmerzende oder kalte Füße, die dankbar eine solch wohltuende Massage annehmen werden. Aber auch wenn Sie keine Schwierigkeiten mit den Füßen haben, ist die Fußmassage eine gute und entspannende Art der Vorsorge und Achtung vor Ihrem Körper.

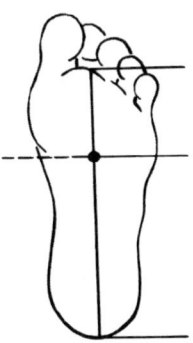

Als erstes massieren Sie die Fußsohlen, auf denen sich der Punkt »Yongquan« (Emporsprudelnde Quelle) befindet, der erste Punkt der Nierenleitbahn.

Wie Sie der Abbildung entnehmen können, liegt er auf der Längsmittellinie des Fußes zwischen den vorderen beiden Fußballen. Bei vielen Menschen ist dieser Punkt leicht druckempfindlich.

Die Nieren sind in der Chinesischen Medizin u. a. für den Wärmehaushalt im Körper zuständig, weshalb wir die Füße und Nieren auch ständig warm halten sollten.

Reiben Sie die Fußsohlenmitte kräftig mit den Daumen oder den Fingern, bis eine deutlich spürbare Reibungswärme entsteht. Dann massieren Sie kreisend den Punkt »Yongquan« kräftig ein bis zwei Minuten lang. Lassen Sie die Massage anschließend einfach ein paar Atemzüge lang auf sich wirken. Erspüren Sie Ihre Reaktionen auf die Massage.

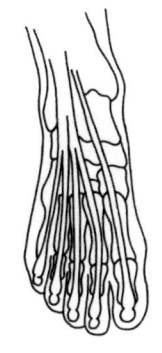

Sie können die Fußmassage damit beenden und sich dem nächsten Abschnitt zuwenden, Sie können aber auch noch weitermachen und die Zehen, die Oberseite der Füße und die Fußknöchel massieren. Dort verlaufen verschieden Leitbahnen, die Sie durch eine Massage anregen können. Die Abbildungen zeigen die Gallenblasen- und die Leberleitbahn. Sie können, müssen aber keineswegs speziell die entsprechenden Punkte massieren. Es reicht, wenn Sie den Fuß insgesamt massierend bearbeiten.

Bei Einschlafproblemen wegen kalter Füße

Bei Einschlafproblemen wegen kalter Füße ist die folgende Meditation sehr wirkungsvoll:

Reiben Sie vor dem Schlafengehen die Fußsohlen kräftig mit den Händen, bis sie warm sind. Danach legen Sie sich hin und decken sich gut zu.

Anschließend konzentrieren Sie Ihre Gedanken auf den »Yongquan«-Punkt. Es kommt dabei nicht darauf an, daß Sie sich den Punkt auf den Millimeter genau vorstellen. Es reicht völlig, wenn Sie mit Ihrer Vorstellung in etwa in den Fußbereich, in dem er liegt, gehen. Bündeln Sie Ihre Gedanken in der Fußsohlenmitte, und stellen Sie sich vor, wie die warme Energie aus dem Bauchraum durch die Beine in die Füße fließt. Diese Wärme breitet sich immer weiter aus und nach einigen Minuten sind die Füße in aller Regel angenehm warm. Sollten Sie beim ersten Mal keinen Erfolg haben, so geben Sie nicht gleich auf. Wenn Sie diese Übung einige Male gemacht haben, wird sich der Erfolg sicher einstellen. Zum Abschluß sammeln Sie Ihre Gedanken nochmals kurz im Bauchraum, im Dantian, etwa zwei Fingerbreit unterhalb des Bauchnabels, bevor Sie einschlafen.

Kniemassage

Der nächste Bereich, dem wir uns zuwenden wollen, sind unsere Knie. Auch hier bieten sich einige Möglichkeiten, nicht nur dem Kniegelenk selbst etwas Gutes zu tun, sondern auch über die Leitbahnen Wirkungen an anderen Körperstellen hervorzurufen.

Beginnen Sie die Kniemassage mit den Daumen. Beide Daumen liegen oberhalb der Kniescheibe und streichen von dort über die Kniescheibe nach unten bis zum Sehnenansatz am Schienbein.

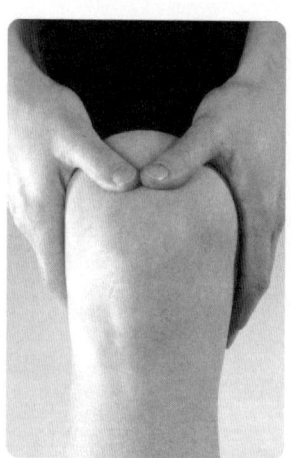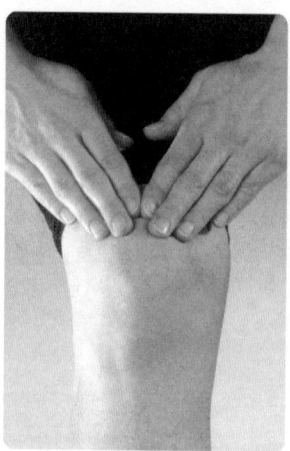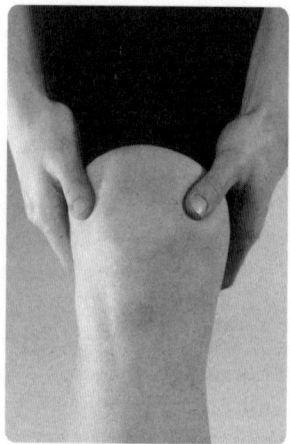

Dann führen Sie die Daumen seitlich am Knie massierend wieder hoch in die Ausgangsposition. Wiederholen Sie dies zwölfmal.

Nehmen Sie danach statt der Daumen alle Finger, und streichen Sie mit diesen wieder von oben nach unten, wie vorher, und auch seitlich wieder zurück. Auch dies wiederholen Sie zwölfmal.

Zum Abschluß legen Sie die Daumen seitlich ans Knie und die Finger in die Kniekehle. Massieren Sie wiederum zwölfmal von oben nach unten. Diese Kniemassage wird auch therapeutisch eingesetzt, wobei die Wirkung durch die regelmäßige, tägliche Wiederholung entsteht.

Bauchmassage

Die nächste Körperregion, mit der wir uns befassen wollen, ist der Bauchbereich. Die Bauchmassage ist eine besonders schöne Massage, die sehr entspannend und wohltuend wirkt. Doch auch bei Magenbeschwerden, Verdauungsproblemen, Blähungen usw. bietet diese Massage schnelle Hilfe. Täglich ausgeführt, kann sie den eben beschriebenen Beschwerden sogar vorbeugen und stärkt ganz allgemein den Mittleren Erwärmer mit den entsprechenden Organen Magen, Milz, Leber und den Därmen. Am wirkungsvollsten und angenehmsten ist es, diese Massage von einem Partner vornehmen zu lassen. Derjenige, der massiert wird, liegt dann einfach entspannt auf dem Rücken und genießt die Massage. Sie können die Bauchmassage jedoch auch bei sich selbst durchführen. Je häufiger Sie dies tun, desto entspannter sind Sie trotz der Eigenarbeit, die Sie leisten müssen. Ihr Bauch wird es Ihnen danken.

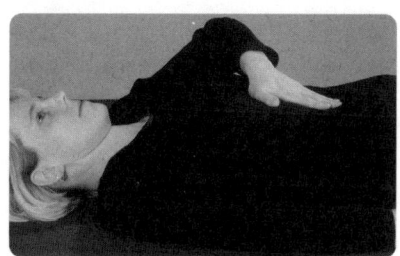

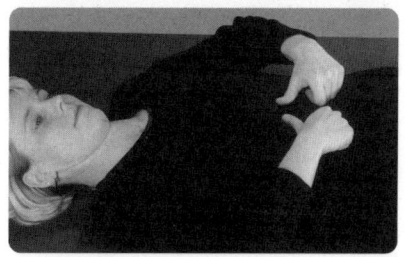

Von der Brustbeinspitze zum Schambein streichen

Der Masseur erwärmt seine Hände und beginnt mit der Massage, indem er siebenmal nacheinander mit den Handflächen von der Brustbeinspitze abwärts bis zum Schambein streicht. Die Fingerspitzen zeigen dabei nach unten.

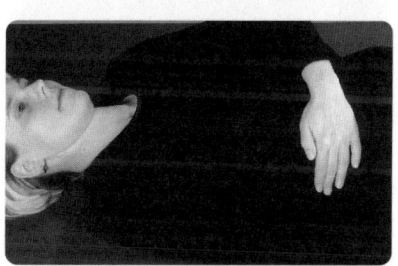

Ausstreichen des Brustkorbes

Nun erfolgt, ebenfalls an der Brustbeinspitze beginnend, ein sanftes Ausstreichen des Brustkorbes mit beiden Daumen. Vom Brustbein aus streichen die Daumen am Brustkorb entlang herunter bis zu den Seiten der Taille. Auch dies soll sieben mal wiederholt werden.

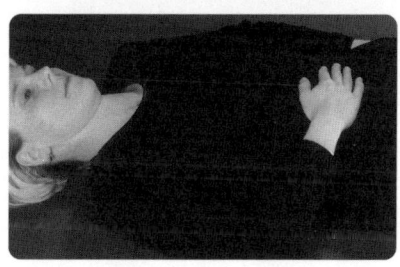

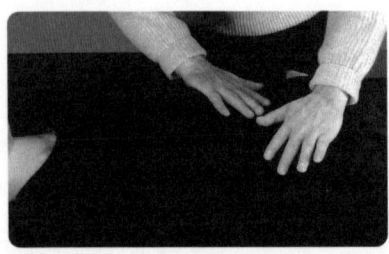

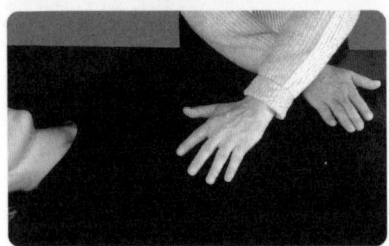

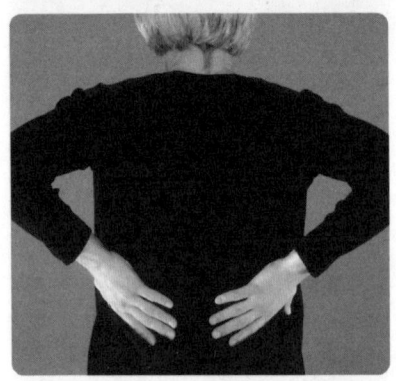

Auf dem Bauch hin und her streichen

Danach wird der Bauchbereich mit den Handflächen massiert. Die linke Handfläche streicht von der rechten zur linken Bauchseite, die rechte Handfläche massiert den Weg zurück von links nach rechts. Wiederum einige Male wiederholen.

Kreisende Massage des Bauches

Nun kommt der Hauptteil der Massage: Der gesamt Bauch- und Unterleibsbereich wird jetzt mit beiden Handflächen kreisend im Uhrzeigersinn massiert. Dabei überkreuzen sich die Hände zwangsläufig , wodurch aber der Massageablauf nicht ins Stocken geraten soll.

Massieren Sie sanft, ruhig und entspannt. Sowohl der Druck als auch das Tempo sollten gleichmäßig sein. Dieser Teil der Massage sollte mindestens fünf, besser acht bis zehn Minuten dauern.

Abschluß

Zum Abschluß wiederholen Sie das Herunterstreichen in der Rumpfmitte, das Sie zu Beginn ausgeführt haben. Bleiben Sie nach der Massage noch eine Weile liegen, und genießen Sie die Auswirkungen. Sie werden spüren, wie angenehm diese Massage für Ihren Bauch ist.

Massage für die Nierenenergie

Als nächstes wollen wir unseren Nieren etwas Gutes tun. Die Nierenmassage ist – besonders in Verbindung mit der Massage des »Yongquan«-Punktes an den Füßen – sehr wirksam und stärkt die Nierenenergie. Bei Kälteproblemen bzw. generell im Winter ist diese Massage sehr zu empfehlen. Reiben Sie wiederum Ihre Hände gegeneinander, bis sie angenehm warm sind. Streichen Sie dann mit den Handflächen von den Seiten der Taille nach unten bis zum Steißbein. Dieses v-förmige Streichen sollte 36 mal erfolgen, wobei es sehr wichtig, daß Sie Ihre Aufmerksamkeit in den

Händen bündeln bzw. Ihre Vorstellungskraft in die Nierengegend schicken.

Nackenmassage

Nun wollen wir uns mit dem Nackenbereich beschäftigen. Hervorragend einzusetzen sind die folgenden Massagen bei Nackenschmerzen und Verspannungen in diesem Bereich, aber auch Kopfschmerzen können mit ihnen erfolgreich beseitigt, zumindest aber gebessert werden.

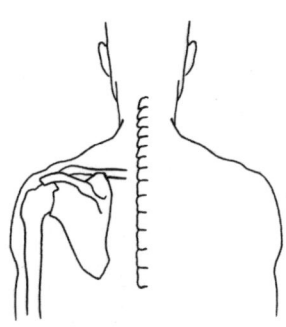

Beginnen Sie die Massage, indem Sie den Nacken von hinten nach vorne (zum Brustkorb hin) ausstreichen. Wiederholen Sie dies einige Male, bevor Sie zur eigentlichen Nackenmassage übergehen.

Nehmen Sie dann den Schulter-/Nackenmuskel auf beiden Seiten gleichzeitig jeweils zwischen Ihre Daumen und die anderen Finger. Suchen Sie nach einem Punkt, der bei fast jedem Menschen sehr empfindlich und schmerzhaft ist und zur Gallenblasenleitbahn gehört. Dieser Punkt liegt genau in der Mitte zwischen der höchsten Stelle des Schlüsselbeines und der höchsten Erhebung auf der Wirbelsäule am Übergang zwischen der Hals- und Brustwirbelsäule. Wenn Sie einen Massagepartner haben, kann er diese Stelle genau ausmessen.

Wenn Sie sich selbst massieren möchten, müssen Sie probieren und suchen, aber wenn Sie das ein paarmal gemacht haben, werden Sie den Punkt schnell finden, da er meist sehr schmerzempfindlich und oft auch verhärtet ist.

Nehmen Sie nun die Daumen nach vorne und die anderen Finger nach hinten, und drücken Sie diesen Punkt so kräftig, wie Sie es gerade noch ertragen können. Versuchen Sie, Ihren Nacken und Ihre Schultern zu entspannen, während Sie den Punkt weiter gedrückt halten.

Dann steigern Sie den Druck nochmals soweit, wie Sie es aushalten können und entspannen Sie dann wieder ohne den Druck zu mindern. Steigern Sie nach demselben Muster nochmals den Druck bis zur Schmerzgrenze und versuchen Sie dabei zu entspannen und loszulassen. Dies sollte insgesamt etwa ein bis zwei Minuten dauern.

Lösen Sie zum Abschluß ruckartig die Daumen und die Fingern von der Schulter und lassen sie fallen. Gleichzeitig entspannen Sie

den Nackenbereich und atmen aus. Sie werden verwundert sein, wie schön dieses Gefühl ist und wie weich der Schulter-/Nackenbereich wird. Vielleicht spüren Sie auch ein Hitzegefühl in den Schultern oder im Nacken. Eine angenehme Wärme kann sich ausbreiten, und Sie werden lockerer und entspannter.

Diese Massage können Sie zweimal wiederholen oder wenn es Sie danach verlangt, z. B. bei der Arbeit am Computer, auch zwischendurch mal anwenden.

Kopfmassage

Last but not least kommen wir zur Kopfmassage. Auch hier gibt es natürlich zahlreiche Varianten, von denen ich hier nur eine kleine Auswahl vorstellen kann.

Die Haare kämmen und die Kopfhaut beklopfen

»Kämmen« Sie Ihre Haare bzw. die Kopfhaut mit den Fingerspitzen. Beginnen Sie an der Stirn und ziehen Sie Ihre Fingerspitzen mit leichtem Druck über die Kopfhaut nach hinten bis zum Nacken. Wiederholen Sie dies sechs- bis zehnmal. Danach klopfen Sie mit den Fingerkuppen die Kopfhaut ab. Beginnen Sie wieder an der Stirn, und arbeiten Sie sich nach hinten bis zum Nacken durch. Wiederholen Sie auch dies einige Male.

Die Ohren massieren

Nun massieren Sie Ihre Ohren, indem Sie zunächst die Ohrläppchen dreimal kräftig nach unten ziehen und danach dreimal am oberen Rand der Ohrmuscheln nach oben ziehen.

Die Nase massieren

Weiter geht es mit der Nase. Diese wird mit beiden Daumen kräftig einige Male von oben nach unten und wieder zurück gerieben. Dann legen Sie Ihre Zeigefinger jeweils unterhalb der äußeren Enden der Nasenflügel bzw. neben die Nasenflügel. Hier befinden sich zwei Punkte der Dickdarmleitbahn, die nun nacheinander kreisend mit leichtem Druck massiert werden. Kreisen Sie etwa 24 mal im Uhrzeigersinn und ebenso oft in die andere Richtung. Dies hilft bei Nasenbzw. Erkältungsbeschwerden oder beugt diesen vor.

Die Augen massieren

Nun werden die Augen mit sanft kreisenden Bewegungen massiert. Entspannen Sie dabei die Augen und die Lider, während Sie mit den Daumen, Zeige- oder Mittelfingern um die Augen herum kreisend massieren. Dies stärkt die Sehkraft und entspannt die Augen, was wiederum zur Entspannung des Geistes beiträgt.

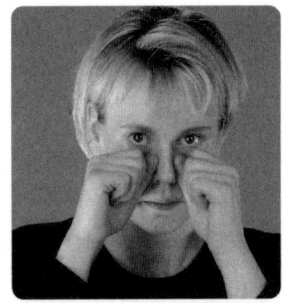

Das Gesicht waschen

Eine »Gesichtswäsche« mit den Handflächen regt den Fluß von Qi und Blut im gesamten Gesicht an und bildet einen schönen Abschluß für die Gesichtsmassage.

Experimentieren Sie mit den Massagetechniken, die ich Ihnen hier vorgestellt habe. Gönnen Sie sich und Ihrem Partner einfach zwischendurch immer mal wieder eine Massage. Es tut Ihnen gut, und Sie erfahren dabei mehr über sich und den anderen. Gesund und wohltuend sind Massagen auf jeden Fall. Viel Spaß dabei!

Qigong

Unter dem Begriff »Qigong« werden Tausende zum Teil sehr unterschiedliche Übungen zusammengefaßt, die das Qi, unsere Lebenskraft, stärken, erneuern, harmonisieren und bewahren sollen. Die Bedeutung des Begriffs »Qi« ist Ihnen ja bereits geläufig, so daß wir uns an dieser Stelle nur noch mit den Begriff »Gong« beschäftigen müssen, um zu verstehen, was mit »Qigong« gemeint ist.

Der Begriff »Gong« kann übersetzt werden mit Mühe, Arbeit, Meisterschaft oder Erfolg. Er bezeichnet den Prozeß des Übens und deutet darauf hin, daß es darum geht, beständig und regelmäßig zu üben. Qigong heißt demnach also, daß wir regelmäßig (möglichst täglich) unser Qi trainieren müssen, um Meisterschaft zu erlangen bzw. unsere Gesundheit zu stärken und erhalten.

Beim Qigong lernen wir, unser Qi wahrzunehmen und durch entsprechende Übungen zu beeinflussen. Wir können schlechtes, verbrauchtes Qi ausleiten aus dem Körper, ihn sozusagen reinigen, und wir können neues, frisches Qi aufnehmen. Wir können das Qi durch unseren ganzen Körper leiten und somit einen harmonischen Fluß der Energie erreichen, und letztlich können wir unser Qi speichern, sammeln und bewahren, um uns zu stärken. Doch dazu bedarf es der Ausdauer und der Geduld – und eben der regelmäßigen Übung.

Es ist nicht einfach, über Qigong zu schreiben. Im Grunde muß man es einfach ausprobieren, um zu verstehen, worum es dabei geht. Wenn ich Ihnen einen Apfel in allen Einzelheiten beschreibe, wissen Sie trotzdem erst dann wirklich, was ein Apfel ist, wenn Sie ihn selbst gesehen, gefühlt und gegessen haben. Ebenso verhält es sich mit dem Qigong, und deshalb enthält dieses Kapitel auch zwei einfache Übungen zum Ausprobieren. Vorab jedoch trotzdem noch ein paar allgemeine Informationen.

Beim Qigong finden wir eine Vielzahl von Übungen, die unterschiedliche Gewichtungen und Ziele haben können. So gibt es Übungen im Liegen, Sitzen und Stehen und solche mit Schritten, also mit Fortbewegung.

Es gibt Übungen in völliger körperlicher Ruhe, wobei jedoch der Geist in Bewegung ist, und solche, bei denen der Körper in Bewegung ist, aber der Geist in Ruhe. Auch beim Qigong trainieren wir beide Pole: Yin (Ruhe) und Yang (Bewegung).

Es gibt Übungen, die vom Bewegungsablauf her recht kompliziert sind und eine gewisse Beweglichkeit erfordern, aber auch Übungen für Menschen mit Bewegungseinschränkungen. Für jeden Menschen, egal welchen Alters und mit welchen Beschwerden oder Krankheiten, existieren entsprechende Qigong-Übungen.

Einige Übungen werden sehr schnell ausgeführt, aber die meisten Übungen werden in einem langsamen, fast zeitlupenartigen Tempo praktiziert. Manche Übungen ähneln – von außen betrachtet – unserer Gymnastik, doch Qigong ist eben genau keine Gymnastik, bei der es nur auf äußere Bewegungsabläufe ankommt.

Beim Qigong werden Bewegungen mit speziellen Atemtechniken und der Sammlung des Geistes, der Bündelung der Vorstellungskraft verbunden, und es dient nicht nur der körperlichen Gesundheit oder Beweglichkeit, sondern der Klärung des Geistes. Ursprünglich war Qigong eine spirituelle Übung, die den Übenden zufrieden, friedvoll und bescheiden werden lassen sollte, damit er höhere Stufen des Menschseins erreichen und sich selbst vervollkommnen konnte. Der Qigong-Praktizierende sollte seine wahre Natur erkennen und dieser demütig folgen. Philosophisch ausgedrückt, war es das Ziel des Qigong, sich selbst zu erkennen und im Einklang mit der Natur dem Dao zu folgen. Weitere Wirkungen des Qigong, die bei uns meist im Vordergrund der Qigong-Praxis stehen, sind bessere Entspannungsfähigkeit, Steigerung der Leistungsfähigkeit, Erhöhung der Kreativität und Schutz vor Krankheiten und Beschwerden bzw. deren Linderung oder Heilung. Über die Verbindung von Bewegung (Haltung), Atemtechnik und Konzentration des Geistes erreichen wir diese Ziele.

Moshe Feldenkrais, ein israelischer Physiker, der die nach ihm benannte »Feldenkrais-Methode« zur Verbesserung der Bewegungsfähigkeit entwickelt hat, sagte einmal: »Du sollst immer wissen, was Du tust, damit Du tun kannst, was Du willst.« Dies ist sicherlich auch das Hauptanliegen beim Qigong. Während wir Qigong üben, sollen wir uns selbst ganz genau wahrnehmen, um unsere Handlungen zu verstehen und sie dann, zu unserem Vorteil, zu verändern. Dabei dürfen wir uns auf gar keinen Fall unter Leistungsdruck setzen. Ein großer Teil der Wirkungen des Qigong beruht auf der Erkenntnis, daß es nicht darum geht, etwas zu fordern, zu erzwingen. Je weniger wir uns unter Druck setzen, desto eher stellt sich der gewünschte Erfolg ein.

Wir sollen beim Qigong unsere Grenzen kennenlernen und anerkennen, anstatt gegen sie anzukämpfen. Das Schwache, Weiche besiegt das Harte, Starke. So wird aus dem Annehmen unserer Schwächen unsere Stärke. Das Weiche ist Begleiter des Lebens – schauen Sie sich junges, gerade geborenes Leben an –, das Harte steht für den Tod, wie wir an Leichen unschwer erkennen können. »Also werdet wie die Kinder...«, sagt Laozi, und diese Weichheit versuchen wir im Qigong ganz allmählich wieder zu erlangen. Doch nun zur Praxis.

Wichtige Energiepunkte für das Qigong

Die beiden Energiepunkte »Laogong« (Mitte des Handtellers) und »Yongquan« (Emporsprudelnde Quelle / Fußsohlenmitte) haben Sie bereits kennengelernt. Bevor wir zu den praktischen Übungen kommen, möchte ich Ihnen noch zwei andere wichtige Energiepunkte bzw. -zentren vorstellen, den Punkt »Baihui« (Zusammen-

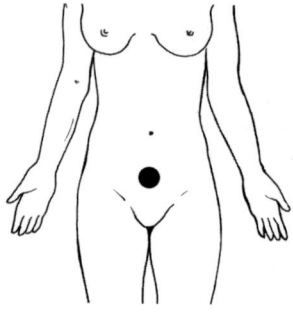

kunft aller Leitbahnen) und »das Untere Dantian«. Der Punkt »Bahui« liegt an der höchsten Stelle des Kopfes. Wenn Sie sich eine Verbindungslinie zwischen den höchsten Punkten der Ohrmuscheln denken, liegt der Punkt am Schnittpunkt dieser Linie mit der Kopfmittellinie.

Das Dantian, genauer das »Untere Dantian«, ist das wichtigste Energiezentrum, das wir haben, und es bestimmt gerade in der Anfangszeit die Qigong-Praxis. (»Dan« bedeutet soviel wie das Beste, während »Tian« die Bedeutung von Feld oder Lager hat.) Es liegt etwa eine Handbreit unterhalb des Bauchnabels, etwas im Körperinneren, und gilt als das wichtigste Sammlungs- und Verteilungszentrum für die Energiearbeit beim Qigong.

Das Dantian ist der Ausgangspunkt für die Energiearbeit im Qigong, und hier ruht gerade zu Beginn der Übungspraxis oft unsere Vorstellungskraft. Auch zu Beginn und zum Ende einer Übungseinheit führen wir unsere Gedanken hierhin. Aus dem Dantian heraus beginnen wir unsere Übungen, mit dem Rückführen des Qi zum Dantian beenden wir die Übungen.

Der Qigong-Stand

Ich möchte Sie nun zur ersten praktischen Übung führen, und Sie mit einer wichtigen Ausgangsposition für das Qigong vertraut machen: dem spezifischen Qigong-Stand. Diese Grundhaltung für viele Stehübungen zeigt sehr deutlich, wie wichtig eine gute Haltung für unser Wohlbefinden ist. Wenn Sie es schaffen, nur diese Grundhaltung zu üben und sie teilweise in Ihren Alltag zu integrieren, haben Sie wirklich schon sehr viel für Ihre Gesundheit getan.

Beziehen Sie alle nun folgenden Aussagen weniger auf das Äußere, sondern versuchen Sie von Innen heraus die Haltung zu verändern und zwar über loslassen und entspannen.

Wir beginnen mit der körperlichen Ausrichtung der Wurzeln, d. h. bei den Füßen, und bauen die Standposition dann nach und nach bis ganz oben zum Kopf auf.

Füße und Knie

Stellen Sie sich mit etwa schulterbreit voneinander entfernten Füßen aufrecht hin, und achten Sie dabei darauf, daß die Füße parallel zueinander stehen. Der Abstand zwischen den beiden Fersen soll also genauso groß sein wie der zwischen den beiden Ballen der großen Zehen. Wenn Sie diese Position anfangs als unbequem empfunden, ist dies völlig normal. Durch regelmäßige Übung wird es Ihnen aber immer besser und leichter gelingen, diese Haltung bequem einzunehmen.

Beugen Sie die Knie leicht an, indem Sie sich in der Leistengegend (Hüftgelenksbereich) ein wenig entspannen und sich leicht nach hinten sinken lassen, als ob Sie sich setzen wollten. Die Knie sollen dabei gerade über den Fußgelenken – in einer Linie mit den Füßen – stehen und nicht etwa nach innen oder nach außen zeigen.

Dies ist die beste Haltung der Beine, weil die Beinknochen ihre Arbeit – das Stützen des Körpers – so mit möglichst wenig Kraftaufwand optimal erfüllen. Auch dies ist zu Beginn sicher ungewohnt. Geben Sie nicht gleich auf, wenn es nicht beim ersten Mal klappt. Insbesondere dann, wenn Sie zu den Menschen gehören, die Probleme in den Hüft-, Knie- oder Fußgelenken haben, werden Sie schon nach kurzer Eingewöhnungszeit feststellen, wie ange-

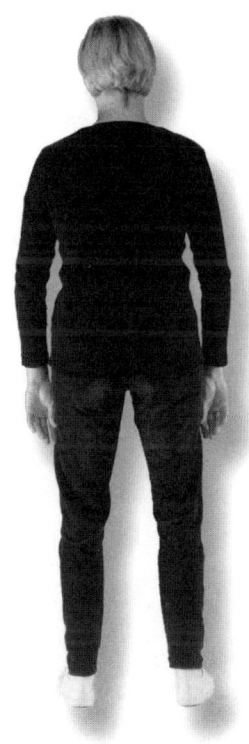

nehm und wohltuend diese Beinhaltung für Sie ist. Es ist zwar nicht möglich, bereits bestehende degenerative Schäden wie z. B. Athrosen der Gelenke einfach auszuradieren. Durch eine gute Haltung läßt sich jedoch auf jeden Fall eine weitere Verschlechterung verhindern, vielleicht sogar eine Besserung des Befindens erreichen.

Becken

Kippen Sie Ihr Becken leicht nach vorne, so daß das Kreuzbein gerade nach unten zeigt und das Steißbein leicht nach vorne geht (siehe Abbildung 2 auf der vorigen Seite). Damit wird erreicht, daß sich der untere Rücken im Bereich der Lendenwirbelsäule begradigt. Mit anderen Worten, das sogenannte Hohlkreuz, das bei vielen Menschen sehr ausgeprägt ist, verschwindet in dieser Position fast ganz, und der untere Rücken ist fast gerade.

Achten Sie darauf, daß Ihr gesamter Rücken möglichst gerade sind. Dies erreichen Sie nicht über Anspannung und zwanghaftes Halten, sondern durch ganz bewußtes Entspannen der entsprechenden Körperbereiche.

Diese Form des Stehens entlastet die gesamte Wirbelsäule. Der Druck auf die Bandscheiben wird geringer, und Sie werden diese Entlastung nach einiger Zeit deutlich spüren. Nicht von ungefähr legen in der Zwischenzeit auch die westlich orientierten Rückenschulen Wert auf diese Ausrichtung des Rückens. Es ist nur eine Frage der Zeit, bis Sie sich so an diese Haltung gewöhnt haben, daß Sie nur noch so stehen werden.

Auch hier geht es wieder darum, daß das Knochengerüst seine Stützaufgabe optimal erfüllt, so daß wenig Muskelkraft benötigt

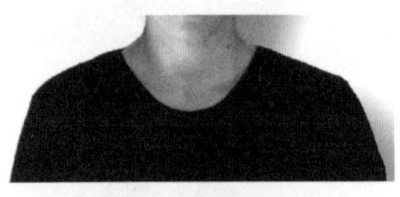

wird und alle Kräfte, die auf den Körper einwirken (z. B. das eigene Körpergewicht) über das Skelett nach unten in die Fußsohle bzw. in den Boden geleitet werden. Sie werden erstaunt sein, wie viel Gutes Sie sich mit dieser Standhaltung tun und wie angenehm diese Art des Stehens ist.

Kopf, Schultern und Arme

Diese entspannte Aufrichtung der Wirbelsäule erreichen Sie am besten, wenn Sie sich vorstellen, Ihr Kopf sei an der höchsten Stelle (»Bahui«-Punkt) mit einem Band an der Decke befestigt.

Dann müssen Sie nichts halten, sondern Ihre Wirbelsäule hängt sozusagen ganz entspannt herunter. Achten Sie darauf, daß Ihr Kinn parallel zum Boden steht oder leicht nach vorne unten geneigt ist. Auf gar keinen Fall sollten Sie Ihren Kopf nach hinten wegkippen lassen.

Die Schultern sind entspannt, locker und sinken nach vorne unten. Drehen Sie die Arme an den Ellbogen leicht nach innen, so daß die Handrücken nach vorne zeigen. Der Daumen und der Zeigefinger werden am Oberschenkel angelehnt, die Arme können Sie einfach locker hängen lassen. Durch die leichte Drehung der Arme erreichen Sie, daß die Achselhöhlen geöffnet sind, was sehr wichtig ist für den Qi-Fluß und dafür, daß die Schultergelenke entspannt bleiben (siehe Abbildungen 1 und 3 auf Seite 121).

Brustkorb und Bauch

Sehr wichtig ist es außerdem, daß Brustkorb und Bauch entspannt sind. Lassen Sie also den Brustkorb leicht einsinken zur Körpermitte hin und nach unten in den Bauch hinein (siehe Abbildung 2 auf Seite 121).

Hier kommt eine chinesische Sichtweise zum Tragen, die sich sehr von der unseren unterscheidet. Bei uns gilt vielfach immer noch die Devise »Brust raus«. Aus chinesischer Sicht jedoch ist der vordere Rumpf (Brust und Bauch) dem Yin zugeordnet, während der Rücken zum Yang gehört. Der Rücken zeigt deshalb zum Himmel (Yang) und ist aktiv, während der Brustkorb nach innen sinkt (Yin) und passiv ist. Das bedeutet aber keineswegs, daß Sie einen Buckel machen sollten. Der Rücken ist gerade wie zuvor beschrieben, aber Sie entspannen den vorderen Rumpf und lassen Brust und Bauch los. Auch hier werden Sie nach einer gewissen Gewöhnungsphase merken, daß es viel angenehmer ist, so zu stehen und zu atmen. Die Atmung, insbesondere die erwünschte Bauchatmung, fällt einem in dieser Position sehr viel leichter. Menschen mit Atembeschwerden sollten besonders auf diesen Zusammenhang achten.

Wie Sie das Stehen einüben können

Wenn Sie Ihren Körper in der beschriebenen Weise von den Füßen bis zum Kopf ausgerichtet und eine halbwegs entspannte Endposition erreicht haben, lenken Sie Ihre Vorstellungskraft ins Untere Dantian. Bleiben Sie einige Minuten ruhig stehen, und nehmen Sie Ihren ganzen Körper bewußt wahr. Wo immer Sie Verspannungen, leichte Schmerzen oder auch nur ein ungutes Gefühl verspüren, versuchen Sie, diese Bereiche bewußt zu lösen und zu entspannen.

Abschließend legen Sie die Hände so auf das Dantian, daß die beiden »Laogong«-Punkte auf dem Dantian übereinander liegen. Frauen legen dabei die rechte Hand nach unten, Männer die linke, weil nach Auffassung der Chinesischen Medizin die linke Seite die Yang-Seite (männlich) ist, während die rechte Seite dem Yin (weiblich) zugeordnet wird.

Mit einem langsamen Ausatmen strecken Sie dann langsam die Beine, lassen die Hände sinken und lösen die Standhaltung auf. Wenn Sie Zeit haben, gehen Sie noch ein paar Schritte und bewegen sich ein wenig, bevor Sie in den Alltag zurückkehren.

Zu Beginn empfiehlt es sich, mit circa drei bis vier Minuten Stehen zu beginnen. Geben Sie Ihrem Körper Zeit, sich langsam an die ungewohnte Position zu gewöhnen. Einige Muskeln und Sehnen werden Sie wahrscheinlich sehr stark spüren. Eventuell werden sich diese sogar durch ein Zittern oder ein leichtes Ziehen bemerkbar machen. Das braucht Sie aber nicht zu beunruhigen, denn es zeigt lediglich an, daß die betreffende Muskulatur lange Zeit nicht oder nur wenig angesprochen wurde und jetzt langsam wieder aufgebaut werden muß. Die Dauer des Stehens sollten Sie allmählich, sei es nun wöchentlich oder monatlich, jeweils um eine Minute verlängern. Eine wirkungsvolle Übungseinheit beträgt circa fünfzehn bis zwanzig Minuten – eine Zeitspanne, die sich durchaus erreichen läßt, wenn Sie langsam und beharrlich üben und die Dauer allmählich erhöhen.

Wenn Sie auf die beschriebene Weise stehen, entspannen Sie auf Dauer den gesamten Körper und erreichen im Laufe der Zeit eine sehr feine und wohltuende Abstimmung vieler Yin/Yang-Aspekte im Körper. Die Qigong-Richtlinien für das Stehen sind äußerst wichtig für eine gesunde Nutzung unseres Bewegungsapparates.

Der Vorteil dieser Übung gegenüber Übungen in Bewegung besteht gerade am Anfang darin, daß Sie Ihre Aufmerksamkeit nur auf die korrekte Ausrichtung des gesamten Körpers zu richten brauchen. Das ist einfacher und schneller zu erlernen, als wenn Sie außerdem noch irgendwelche Bewegungen ausführen müßten. Später können Sie diese Haltung jedoch auch in Bewegungen wie z. B. das Hochheben schwerer Gegenständen einbauen. Sie werden über die Resultate erstaunt sein! Aber geben Sie Ihrem Körper zunächst Zeit, die Änderungen zu verinnerlichen, und bleiben Sie aufmerk-

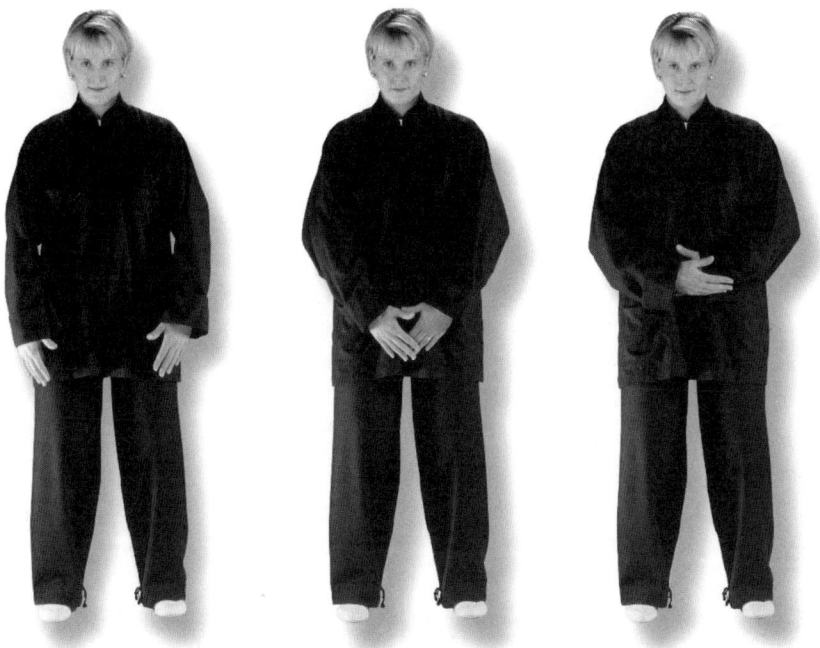

sam bei der Übung, denn sonst stellt sich rasch die alte gewohnte Haltung wieder ein!

Das Stehen gilt als eigenständige Übung und wird manchmal sogar ausschließlich praktiziert. In China habe ich mehrmals Menschen gesehen, die eine Stunde und noch länger in der Standposition verharrten. Aus chinesischer Sicht stärkt das Stehen in Ruhe ganz allgemein das Abwehr-Qi (Wei-Qi), das uns vor Infekten schützen soll und das außen in den Haut- und Muskelschichten zirkuliert. Außerdem erlangt man durch diese Übung wieder ein Gefühl dafür, wie man seinen Körper am bequemsten ausrichtet und wie man den Oberkörper am besten entspannen und sein Gewicht in die Füße sinken lassen kann.

Am wirkungsvollsten ist es natürlich, wenn Sie das Stehen regelmäßig üben, aber auch ohne tägliches Training werden Sie alleine durch die Änderung Ihrer Körpermechanik und das bewußte Umsetzen der Standposition im Alltag sehr viel Erleichterung verspüren. Ob beim Bügeln oder beim Gespräch mit dem Nachbarn: denken Sie an die Haltungsgrundlagen, und entlasten Sie Ihre Knochen und Gelenke Sie werden weniger Schmerzen und Beschwerden haben, dessen können Sie sicher sein. Nochmals Laozi: »Werdet wie die Kinder...« Wenn Sie einmal kleine Kinder beobachten, werden Sie entdecken, daß diese die ganzen Anforderungen, die beim Qigong an das Stehen gestellt werden, erfüllen. Sie stehen mit gebeugten Knien, halten die Wirbelsäule aufrecht und den Brustkorb und Bauch entspannt und gehen auch so in die Hocke.

Die Schlüsselpunkte des Qigong

Bevor ich Ihnen eine zweite Übung vorstelle, jetzt noch ein wenig Theorie, und zwar möchte ich Ihnen die sogenannten »Schlüsselpunkte des Qigong« kurz erläutern. Diese Schlüsselpunkte sind grundlegend für sämtliche Übungen des Qigong und sollten immer genau beachtet werden, wenn man einen größtmöglichen Effekt erzielen will:

♦ Ruhe und Bewegung gehören zusammen.
♦ Beachtung der eigenen Situation und Konstitution.
♦ Unten voll, oben leer.
♦ Das Qi folgt der Vorstellungskraft.
♦ Entspannte, natürliche Haltung.

Ruhe und Bewegung

Alles ist immer in Bewegung, und somit gibt es keine absolute Ruhe. Aber gerade in unserer heutigen Zeit des Stresses, des täglichen Termindruckes benötigen wir mehr denn je die Ruhe als ausgleichenden Pol. Wir betonen das Yang zu sehr, und viele unserer Zivilisationskrankheiten entstehen aus der Überbetonung der Aktivität.

Geben wir uns, unserem Geist, unserer Seele und unserem Körper, wieder Zeit, sich zu erholen, zu regenerieren. Ich denke, daß wir uns manchmal auch extra so viel Streß machen, um uns nicht mit uns selbst beschäftigen zu müssen. Rastlosigkeit ist das richtige Wort, denn Streß hat man nicht, man macht ihn sich.

Beim Qigong versuchen wir, dem Gesetz von Yin und Yang zu entsprechen. Ruhe und Bewegung bedingen einander. Das eine geht nicht ohne das andere. So suchen wir die geistige Ruhe, während wir den Körper bewegen, und üben die geistige Bewegung, wenn der Körper in Ruhe ist. Aber auch der Übungsprozeß selbst sollte Phasen der Ruhe beinhalten, die sich mit Phasen der Bewegung abwechseln. Daß es wichtig ist, beide Pole zu beachten und zu trainieren, dies soll uns der erste Schlüsselpunkt verdeutlichen.

Übungsniveau:
Beachtung der eigenen Situation und Konstitution

Hier geht es darum, eine angemessene Übungspraxis zu entwickeln. Das heißt, daß wir uns die Übungen, aber auch die Zeitdauer entsprechend unserer Konstitution und unserer Situation auswählen. Niemals sollten wir uns dabei unter Druck setzen. Leistung müssen wir in so vielen Bereichen tagtäglich erbringen. Beim Qigong sollen wir uns entspannen und wohl fühlen. Interessanterweise stellt sich dann der Erfolg am ehesten ein.

»Der Weg ist das Ziel«, heißt es im Chinesischen, und dies bedeutet, regelmäßig zu üben und langsam fortzuschreiten. Qigong zu üben ist wie ein Sparvertrag. Täglich sammeln wir ein wenig auf dem Konto. Nach kurzer Zeit haben wir noch nicht viel gewonnen, aber nach einigen Jahren ist der Gewinn enorm.

An einigen Tagen üben wir länger und sehen deutliche Fortschritte, an anderen Tagen sind wir nicht so recht zufrieden. Mal können wir weniger üben – z. B. wegen Krankheit –, und dann wiederum üben wir viel länger – etwa im Urlaub. Alles ist immer im Wandel, so ist das Leben nun mal, und dies gilt auch für das Üben von Qigong.

Unten voll, oben leer

Beim Qigong heißt es, daß man die Schwere nach unten sinken lassen und den Oberkörper leer und entspannt werden lassen soll. Wir »Kopf- oder Schultermenschen«, wie uns die Asiaten gerne nennen, haben dies leider verlernt. Wir betonen den Oberkörper zu sehr. Dieser ist nicht entspannt und leer, sondern eher das Gegenteil. Nicht umsonst sind Verspannungen im Nackenbereich, Schulterprobleme oder schwache Beine bei uns so weit verbreitet.

Hier geht es darum, das Loslassen und Entspannen neu zu lernen. Der Oberkörper ist locker und leicht, während die Schwere durch die Beine und Fußsohlen in den Boden sinken kann. Dies kräftigt die Beine, d. h. es stärkt die »Wurzel«, während die »Zweige« sich entspannt im Wind bewegen können.

Die Stehübung heißt im Chinesischen z. B. »Stehen wie ein Baum«. Ein Baum hat starke Wurzeln und leichte, biegsame Zweige. So bleibt er selbst im stärksten Sturm stehen, da die Zweige nachgeben und die Wurzeln tief und fest sind. Dies ist genau so auf uns Menschen übertragbar.

Die Vorstellungskraft führt das Qi

Der Geist oder unsere Vorstellungskraft führt das Qi, so heißt es in den alten Texten zum Qigong. Wenn wir unsere Gedanken in einen bestimmten Körperbereich führen, erhöhen wir damit den Effekt der Übung, weil wir dadurch mehr Qi und Blut in dieses Körperareal bringen. Aber auch hier gilt der Grundsatz »kein Druck, keine Leistung«, denn dies bedeutet Krampf und Anspannung, und genau das wollen wir ja verhindern bzw. abbauen.

Wenn Sie also die Vorstellung zum Dantian führen sollen, so wird es gerade zu Beginn der Qigong-Praxis immer wieder geschehen, daß Ihre Gedanken umher wandern und Sie an etwas anderes denken. Das ist völlig normal. »Der Geist ist wie ein wilder Affe«, heißt es, und gerade deshalb ist regelmäßiges Training so wichtig. Die Ruhe des Geistes läßt sich nicht auf die Schnelle erreichen. Aber nur wenn der Geist entspannt ist, kann das Qi ihm folgen. Üben Sie bewußt sorgsam und ohne Eile, damit sich Erfolge einstellen können. Wie dies in einer Übung konkret aussehen kann, erfahren Sie in der nächsten Übungsbeschreibung.

Entspannung und Natürlichkeit

Jetzt kommen wir zu zwei ganz zentralen Begriffen des Qigong. Natürlichkeit und Entspannung sind uns zwar geläufig Worte, aber wir sind meist nicht mehr in der Lage, uns natürlich und entspannt zu bewegen. »Ich bin doch entspannt!« ist ein Satz, den ich in meinen Kursen immer wieder höre. Wenn ich dann hinschaue, sehe ich aber, daß z. B. die Schultern fast bis zu den Ohren hochgezogen sind. Unsere eigene Wahrnehmung täuscht uns in dieser Hinsicht leider oft. Wir haben uns so an bestimmte Haltungen und Verhaltensweisen gewöhnt, daß wir unsere Schwächen gar nicht mehr erkennen. Ohne Erkenntnis läßt sich aber nichts verändern.

Was aber ist nun eigentlich Entspannung؟ Entspannt auf dem Sofa zu liegen ist eine Art der Entspannung. Im Qigong geht es um eine ganz andere Art zu entspannen, nämlich die, in einer vorgegebenen Form entspannt zu bleiben. So soll z. B. die Wirbelsäule aufgerichtet sein, was ja eine gewisse Muskelarbeit und damit Kraft bzw. Anspannung bedeutet. In dieser Spannung sollen wir aber so entspannt bleiben wie nur irgend möglich, also nur so wenig Kraft einsetzen wie unbedingt nötig. Dies ist das Ziel des Qigong.

Wir erfüllen die gestellten Anforderungen beim Qigong möglichst entspannt und locker, aber nicht etwa kraftlos und schlapp.

Entspannung hat viel mit Loslassen zu tun, und das ist schwierig umzusetzen. Wenn wir jedoch einmal verstanden haben, wie sich Entspannung unter bestimmten Anforderungen erreichen läßt, können wir dies auch im Alltag erfolgreich einsetzen. Wenn Sie z. B. längere Zeit stehen müssen und sich an die richtige Haltung des Stehens erinnern, so werden Sie merken, daß alles viel angenehmer und schmerzfreier möglich ist als vorher. Sich entspannt zu bewegen ist ein täglich neuer Lernprozeß, bei dem uns das Qigong helfen kann.

Auch mit der Natürlichkeit haben wir so unsere Schwierigkeiten. Selbst unsere Medizin kennt die Natürlichkeit nicht mehr. Nur weil viele Menschen inzwischen z. B. mit durchgedrückten Knien stehen, ist dies noch lange nicht natürlich. Natürlichkeit hat außerdem trotz gewisser allgemeingültiger Kriterien immer auch einen persönlichen Charakter. Ich habe z. B. für die Stehübung eine Zeit von circa drei Minuten angegeben. Wenn Sie jetzt aber, aus welchen Gründen auch immer, schon nach 30 Sekunden kaum noch Stehen können, weil Sie Schmerzen haben, so hat es nichts mit Natürlichkeit zu tun, wenn Sie sich unbedingt irgendwie über die angegebene Zeit retten wollen.

Qigong bietet Ihnen die Möglichkeit, sich selbst kennenzulernen. Es bietet Ihnen Gelegenheit, Ihre eigenen Schwächen und Stärken zu erkennen und zu ändern bzw. zu fördern. Die Natürlichkeit wieder zu erlangen ist ein sehr feiner, subtiler Prozeß, der langsam fortschreitet. Die Kleinigkeiten sind es, die im Leben wichtig sind, und mit diesen setzen Sie sich im Qigong zunehmend auseinander. Lernen Sie zu lernen. Finden Sie sich selbst wieder in den Übungen des Qigong, die so zahlreich und breitgefächert sind, daß für jeden Menschen etwas dabei ist.

Entspannung und Natürlichkeit zu erkennen und zu erreichen ist ein Weg, der Ihnen auch eine Menge Selbsterfahrung bringt. So gehören auch Rückschritte oder Verzweiflung zu diesem Weg, denn er zeigt Ihnen, wie das Leben aussieht. Und das Leben ist eben auch nicht immer geradlinig und ohne Probleme. Wenn Sie nur eine einzige Kleinigkeit aus der Qigong-Praxis in Ihren Alltag übertragen können, haben Sie mehr gewonnen, als wenn Sie täglich lediglich ein gewisses Übungspensum absolvieren, ohne bewußt damit umzugehen. Weniger ist manchmal mehr, dies gilt um so mehr für das Qigong. Bewußtheit und Ausdauer sind entscheidende Punkte auf dem Weg zu wahrer Entspannung und Natürlichkeit.

Diese Schlüsselpunkte sollen Ihnen die Qigong-Praxis erleichtern und als Wegweiser dienen. Der eigentliche Weg liegt in Ihnen selbst. Wenn Sie damit beginnen, diesen Weg zu gehen, werden Sie feststellen, wie schön er ist und wieviel Freude er Ihnen bereiten kann.

Schulterkreisen

Den Bewegungsablauf der Übung, die ich Ihnen jetzt vorstellen möchte, kennen Sie wahrscheinlich schon aus der Gymnastik. Gerade an dieser Übung können Sie deshalb den Unterschied zwischen Qigong und Gymnastik sehr gut erkennen.

Das Schulterkreisen ist im Qigong eine Aufwärmübung bzw. wird gezielt in der Vorsorge und Therapie von Beschwerden und Erkrankungen des Nacken- und Schulterbereiches eingesetzt.

Der Übungsablauf

Die Ausgangsposition, den Qigong-Stand, kennen Sie bereits. Hier nochmals in Kürze die wichtigsten Anforderungen:

Sie stehen mit schulterbreit voneinander entfernten Füßen, die Füße parallel zueinander ausgerichtet. Die Knie stehen über den Füßen, und Sie setzen sich, mit leicht gebeugten Knien, ein wenig nach hinten. Das Becken steht so, daß das Kreuzbein gerade nach unten zeigt. Die Wirbelsäule ist aufgerichtet, ohne Hohlkreuz, und bildet eine gerade Linie bis zum Kopf. Die Schultern hängen entspannt nach vorne unten, die Handrücken zeigen nach vorne, die Arme hängen locker neben dem Körper. Der Brustkorb und der Bauch sind weich und entspannt.

Atmen Sie durch die Nase und bis tief in den Bauch hinein, während Sie Ihre Vorstellung zum Dantian führen.

Beginnen Sie dann, mit der linken Schulter zu kreisen, indem Sie das Schultergelenk nach vorne drehen, wobei sich der entspannt herunterhängende Arm der Bewegung folgend leicht nach innen dreht. Der Handrücken zeigt hierbei nach innen vorne.

Ziehen Sie dann das Schultergelenk nach oben. Achten Sie dabei darauf, daß wirklich nur das Schultergelenk bewegt wird. Der Arm bleibt locker hängen, und auch der Rest des Körpers bewegt sich nicht! Drehen Sie danach das Schultergelenk nach hinten, wobei sich der Arm wieder mitbewegt und nach außen mitdreht, so daß der Handrücken nach hinten zeigt. Aus dieser Position lassen Sie das Schultergelenk nach unten sinken und beginnen die Übung danach erneut von vorne, indem Sie das Schultergelenk wieder nach vorne drehen. Wenn Sie drei volle Kreise in der beschriebenen Art ausgeführt haben, ändern Sie die Richtung: Sie drehen Ihre Schulter also zuerst nach hinten, dann nach oben, nach vorne und schließlich wieder nach unten. Auch dies wiederholen Sie dreimal. Verfahren Sie mit der rechten Schulter auf dieselbe Weise.

Lassen Sie zum Abschluß beide Schultergelenke gleichzeitig kreisen, und zwar dreimal zuerst nach vorne und dann dreimal nach hinten. Dies ist ein kompletter Übungsdurchgang.

Übungstempo, Atmung und Vorstellungskraft

Führen Sie die Bewegung sehr achtsam durch, und passen Sie auf, daß Sie alles richtig machen und sich nicht selbst beschummeln. Das Tempo der Übung ist langsam, fast zeitlupenartig. Hier sehen Sie schon deutlich den ersten Unterschied zu einer gymnastischen Übung. Durch das langsame Übungstempo und die Konzentration können Sie wirklich überprüfen, ob Sie alles richtig machen. Nicht die Zahl der Wiederholungen ist wichtig, sondern die richtige Ausführung.

Verbinden Sie außerdem Ihren Atem mit der Übung: Während Sie die Schultern nach vorne oben kreisen lassen, atmen Sie ein, wenn Sie die Schultern nach hinten unten kreisen lassen, atmen Sie aus. Natürlich gilt dies umgekehrt auch für die Richtungsänderung: Hier atmen Sie ein, wenn Sie die Schultern nach hinten oben kreisen lassen und aus, wenn Sie sie nach vorne unten kreisen lassen. Diese Atemtechnik gilt für alle Teile der Übung.

Verbinden Sie schließlich Ihre Vorstellungskraft mit der Bewegung und der Atmung. Während Sie mit der linken Schulter arbeiten, ist auch Ihre Vorstellung in der linken Schulter. Sie denken praktisch in die linke Schulter.

Bei der rechten Seite denken Sie natürlich in die rechte Schulter, und wenn Sie beide Schultergelenke gleichzeitig bewegen, denken Sie in den Nackenbereich. Durch die Verbindung von Bewegung, Atmung und Vorstellung erreichen Sie eine wesentlich höhere Wirkung. Qi und Blut fließen viel stärker in dem angesprochenen Bereich, hier also im Schulter- und Nackenbereich.

Das Tempo der Bewegung richtet sich nach Ihrem Atemrhythmus. Je langsamer, desto besser. Versuchen Sie jedoch nicht, Ihren Atem zu überziehen, da Sie sich sonst nur verspannen.

Wenn Sie diese Übung ein paar Tage lang hintereinander praktizieren, werden Sie spüren, wie effektiv sie ist. Wichtig ist nur, daß Sie sie wirklich bewußt ausführen.

Abschließende Hinweise zum Qigong

Qigong kann man nicht aus einem Buch erlernen. Sollten Sie durch dieses Buch Interesse an Qigong bekommen haben, so belegen Sie einen Kurs. Inzwischen gibt es fast überall entsprechende Kursangebote. Wenn Sie dann nicht nur zum Kurs gehen, sondern auch zu Hause üben, versuchen Sie, die Zeit wirklich zu nutzen. Egal ob es nur 10 Minuten sind oder ob Sie sich gar eine halbe Stunde Zeit nehmen, üben Sie sorgfältig, achtsam und bewußt. Lieber etwas weniger Programm, dafür aber intensiv.

Suchen Sie sich einen schönen Übungsplatz, im Sommer möglichst draußen, und lassen Sie sich in dieser Zeit nicht stören. Diese Übungszeit gehört ausschließlich Ihnen. Telefon und Klingel sollten Sie abstellen. Üben Sie in bequemer Kleidung, und legen Sie Schmuck und Uhr ab.

Nicht üben sollten Sie direkt vor oder nach dem Essen oder bei einer akuten Erkrankung. Andere Beschwerden oder Krankheiten erfordern eventuell spezielle Übungsanforderungen, die im Einzelfall geklärt werden müssen.

Während der Schwangerschaft sind etwas andere Übungsanforderungen zu beachten, z. B. darf die Vorstellung nicht ins Untere Dantian geführt und es darf nicht in tiefen Positionen geübt werden. Hier kann Ihnen Ihr Kursleiter sicherlich wertvolle Tips geben.

Ich hoffe, ich konnte Ihnen das Qigong ein ganz klein wenig näher bringen. Es ist eine wirklich phantastische Methode, etwas für sich zu tun, die keinerlei Hilfsmittel erfordert – nur ein wenig Zeit. Im Anhang finden Sie Literaturangaben zum Weiterlesen und im Adressenteil auch Institutionen oder Personen, an die Sie sich wenden können, wenn Sie z. B. an einer Qigong-Ausbildung interessiert sind. Probieren Sie aus, wie Ihnen das Qigong gefällt und bekommt. Gesundheit und Wohlbefinden entstehen nicht durch Reden, sondern durch eigenes Handeln und Tun.

Schlußbetrachtungen

Wir sind nun am Ende unserer Reise durch die Welt der Chinesischen Medizin angekommen, und ich hoffe, daß ich Ihr Interesse für dieses traditionsreiche und wirkungsvolle System, die Gesundheit zu fördern oder wiederherzustellen wecken konnte.

Tagtäglich macht man uns deutlich, wie wichtig der Welthandel geworden ist und daß neue Ideen gefordert sind, um die Probleme unserer Welt in den Griff zu bekommen. Man preist das Internet an und sagt uns, daß Zusammenarbeit im weltweiten Kontakt zu den besten Ergebnissen führt. Nur was unsere Medizin angeht, soll alles beim Alten bleiben – keine Zusammenarbeit, keine neuen Ideen, keine Versuche, über den eigenen Tellerrand hinauszuschauen.

Die Schulmedizin, so will man uns glaubhaft machen, sei nun mal das einzig wahre medizinische System. Hier soll alles ganz anders sein als in allen anderen Bereichen des menschlichen Lebens.

Warum diese Ausgrenzung, diese Panik? Es geht doch in der gesamten Diskussion über die »Alternative Medizin« oder die sogenannte »Naturheilkunde« nicht um die Ausrottung der hier herrschenden Schulmedizin, sondern um deren Ergänzung. Doch seien Sie kritisch – es geht leider auch um viel Geld und Macht.

Wenn es keine Gründe für die Entwicklung anderer Konzepte in der Heilbehandlung gäbe, könnte ich dies ja vielleicht noch verstehen. Aber wir haben riesige Probleme und einen enormen Bedarf an Ideen, Ergänzungen und neuen Wegen gerade im medizinischen Bereich. Wir brauchen doch nur an die Entwicklung der letzten zwei bis drei Jahre zu denken. Unsere Medizin ist – jedenfalls in dieser Form – nicht mehr finanzierbar, und das wissen doch eigentlich alle.

Die Patienten haben vor kurzem erst zu spüren bekommen, was es heißt, daß das Gesundheitssystem reformiert werden muß: abgespeckte Leistungen bei gleichzeitig steigenden Zuzahlungen, und ein Ende ist nicht in Sicht. Aber auch die Ärzte geraten immer mehr unter Zugzwang. Stärkeres Konkurrenzdenken und die »Dekkelung« der Ausgaben für Gesundheit zeigen doch auch ihnen die Notwendigkeit, sich anders zu orientieren und nach Erneuerungen und Ergänzungen zu suchen – wenn schon nicht für die Patienten, was eigentlich als einziges Argument zählen dürfte, dann doch zumindest aus Eigennutz, sprich um den eigenen Verdienst zu sichern.

Insgesamt sind wir alle gefordert, über unser Leben, unsere Lebensführung, unsere Prioritäten in der heutigen Zeit nachzudenken. Oft heißt unser Motto »gut leben«, womit meistens »Genuß pur« gemeint ist. Wir bedienen uns verschiedenster Suchtmittel, uns ist das Äußere oft wichtiger als das Innere, wir sind wahre Meister der Verdrängung. Das Wort Konsequenz haben wir aus unserem Repertoire gestrichen.

Wenn wir dann krank werden oder Beschwerden bekommen, gehen wir eben zum Arzt, der sich gefälligst darum kümmern soll. Wir tragen die Konsequenz für unser Handeln nicht, sondern geben die Verantwortung einfach an den Arzt ab. Die Ärzte sind damit natürlich hoffnungslos überfordert, obwohl diese Einstellung gerade durch die Ärzte bzw. die Schulmedizin herausgefordert wird. Frei nach dem Motto: Nicht der Herr, nein, wir Ärzte werden's schon richten.

Die Patienten haben sich ihre Verantwortung für sich selbst nehmen lassen und allmählich werden die Konsequenzen daraus ersichtlich. Wir alle müssen wieder lernen, Verantwortung für uns selbst zu übernehmen und in einem zweiten Schritt auch dazu bereit sein, aus unserer neu gewonnen Stärke auch Verantwortung für andere zu übernehmen. Dies betrifft unsere Gesundheit und den Umgang mit Krankheit, ist aber auch politisch bedeutsam. Nur wer keine Verantwortung für sich und andere mehr übernimmt, ist unmündig und mit dem kann gemacht werden, was immer bestimmte Interessengruppen auch wollen.

Gerade jetzt läuft wieder ein solcher Versuch, unter dem Deckmantel des »Verbraucherschutzes« die Patienten zu entmündigen und ihnen die Therapie- und Behandlungsformen und sogar deren religiös-spirituelle Lebensweise vorzuschreiben. Unter dem Titel eines »Gesetzes zur Lebensberatung« sollen alle »abtrünnigen Schafe« wieder zur Kirche, zur Schulmedizin und anderen klassischen Institutionen zurückgeführt werden – zwangsweise. Lassen Sie sich Ihr Leben nicht ganz aus der Hand nehmen!

Als mündige Patienten haben wir die Macht, den Weg der Medizin zu bestimmen. Durch uns verdienen die Ärzte oder die Pharmaindustrie ihr Geld. Wir können durch entsprechende Forderungen bzw. Nachfragen ganz gezielt sagen, was uns fehlt, was wir benötigen, was für uns getan werden soll. Das heißt, daß wir den Ärzten gegenüber wieder mehr Selbstvertrauen zeigen müssen. Wir müssen unsere Rechte wahrnehmen und uns um unserer Gesundheit willen wehren. Nochmals an dieser Stelle zur Klärung: Ich bin kein Gegner der Schulmedizin, ganz im Gegenteil, sie hat wirklich außerordentlich viel Positives geleistet. Aber wir stoßen an Grenzen, und Sie als Leser dieses Buches haben das längst bemerkt, denn sonst würden Sie sich gar nicht für die Chinesische Medizin interessieren.

Die Chinesische Medizin ist eine hervorragende Ergänzung zur Schulmedizin und kann diese, wenn wir sie unvoreingenommen betrachten, nur bereichern. Dies gilt sowohl für die Therapie als auch – und dieser Aspekt ist in meinen Augen der wichtigste – für die Vorsorge, d. h. in bezug auf die Vermeidung von Beschwerden und Erkrankungen. Nicht nur, daß wir gesünder werden durch diese Vorsorge, nein ich bin sicher, wir können auch wieder zufriedener und glücklicher werden, da die Chinesische Medizin uns lehrt, das Leben aus einem anderen Blickwinkel zu betrachten. Wir sehen vielleicht endlich wieder, was wirklich zählt im Leben, was wirklich wichtig ist.

Ich möchte hier die Bemerkung einfügen, daß es auch unter den Behandlern, die CM ausüben, Unterschiede gibt.

Einige haben fünf oder sechs Wochenenden CM, meistens nur die Akupunktur, gelernt, und glauben, sie beherrschen das Metier.

Ihnen, liebe Leser, ist sicher nicht entgangen, wie komplex und umfassend die CM ist. Somit ist klar, daß ein wahres Verständnis dieser Heilkunst erst nach jahrelangem Studium möglich ist. Diejenigen Ärzte, die nach obigem Verfahren ihre Patienten nach Symptomen kurieren und dabei in Rezeptmanier festgelegte Punkte zur Behandlung nadeln, wurden im Alten China als »kleine Arbeiter« bezeichnet, die nur »die Blätter« behandeln. Wirklich »große Arbeiter« oder auch »Meister« waren die Ärzte, die ein komplettes Verständnis der CM erlangt haben und in der Lage waren, auch »den Stamm und die Wurzeln« zu heilen.

Dies setzt eine lange Zeit des Lernens und Erfahrens voraus, die man nur durch intensive Beschäftigung mit der CM erreichen kann. Seien Sie also auf der Hut, nicht alle Behandler, die Naturheilverfahren oder CM an ihrem Türschild stehen haben, sind auch wirklich gute Therapeuten. Mangelndes Wissen oder Überheblichkeit finden Sie in allen Bereichen des Lebens.

Ich hoffe sehr, daß ich Ihnen die Chinesische Medizin ein Stück näher bringen und Ihnen vermitteln konnte, daß dieses ausgefeilte Medizinsystem nichts mit Scharlatanerie zu tun hat, sondern daß es sich wirklich lohnt, sich damit zu beschäftigen. Wenn Sie dies tun, werden Sie sich automatisch auch mehr mit sich selbst auseinandersetzen, da dies ja der Hauptaspekt der Chinesischen Medizin ist – die Beschäftigung mit sich und seinem Leben.

Vielleicht erinnern Sie sich ja noch an das Zitat aus dem »Huangdi Neijing«, das ich diesem Buch vorangestellt habe und in dem es um die Befolgung des Dao und den Wert der Gesundheitsvorsorge geht. Wahrscheinlich haben Sie zu Beginn gedacht, dies sei wohl ein wenig übertrieben. Ich habe die Hoffnung, daß Sie jetzt, nach der Lektüre dieses Buches, anders darüber denken. Lesen Sie diese ersten Zeilen nochmals, und überdenken Sie Ihre Position zu diesen Worten noch einmal.

Wir haben alles, was uns betrifft, und damit auf jeden Fall auch unsere Gesundheit, selbst in der Hand. Lassen Sie sich diese Verantwortung und große Chance nicht nehmen.

In China wird Gesundheit als Zustand angesehen, der sehr schwer zu erreichen und zu behalten ist, weil die Harmonie von Yin und Yang sehr leicht zu stören ist. Gesundheit fällt uns nach dem Verständnis der Chinesischen Medizin nicht einfach zu, sondern wir müssen etwas dafür tun, ja manchmal müssen wir sogar hart dafür arbeiten. Da aber Umfrageergebnissen zufolge auf die

Frage, was das Wichtigste im Leben sei, Gesundheit immer an erster Stelle genannt wird, müßten doch eigentlich alle bereit sein,
sich für eben dieses höchste Gut einzusetzen. Ich hoffe, ich konnte
Ihnen mit diesem Buch ein paar Anregungen in bezug darauf geben, welche Möglichkeiten Sie haben, selbst etwas für sich zu tun.

Wir haben genügend Möglichkeiten, wir müssen sie nur nutzen!
Die Chinesische Medizin ist nur ein Weg von vielen, aber er ist umfassend und bietet für jeden etwas.

Die große Unterweisung

Wer von den Alten wollte, daß seine scheinende Tugend die ganze Welt erleuchtete, sorgte zuerst dafür, daß er sein Land gut regierte.

Wer sein Land gut regieren wollte, sorgte zuerst dafür, daß er seine Familie in rechter Weise lenkte.

Wer seine Familie in rechter Weise lenken wollte, sorgte zuerst dafür, daß er seine eigene Persönlichkeit kultivierte.

Wer seine eigene Persönlichkeit kultivieren wollte, sorgte zuerst dafür, daß er sein Herz läuterte.

Wer sein Herz läutern wollte, sorgte zuerst dafür, daß seine Gedanken aufrichtig wurden.

Wer wollte, daß seine Gedanken aufrichtig wurden, sorgte zuerst dafür, daß sich sein innewohnendes Wissen offenbaren konnte.

Der Weg zur Offenbarung des innewohnenden Wissens ist, allen Wünschen zu entsagen.

— *Konfuzius*

Wer seinen Wünschen nicht entsagen kann, dessen Charakter kann nicht kultiviert werden. Dieses Prinzip trifft auf alle Dinge zu.

— *Kommentar zu Konfuzius Text*
von Prof. Cheng, einem berühmten Taiji-Lehrer

Anhang

Glossar

Acht Leitkriterien (Ba Gang): Einordnungssystem in der chinesischen Diagnostik.

Akupunktur: Behandlungsform mit Nadeltechniken.

Baihui: Energiepunkt an der höchsten Stelle des Kopfes; wichtiger Punkt in der Qigongpraxis.

Qi (Chi): Bezeichnung für so verschiedene Begriffe wie Atem, Odem, Dampf, Kraft, Energie, Lebensenergie. Im allgemeinen ist mit Qi die kosmische Energie gemeint, die alle Dinge durchdringt und zum Leben erweckt.

Qigong (Qi Gong; Chi Kung): Bezeichnung für alle Übungen und Methoden, welche die Arbeit an und mit dem Qi zum Ziel haben. Bewegung, Atmung und Meditation bilden die Grundlage aller Qigong-Übungen, allerdings in, je nach Methode, zum Teil sehr unterschiedlicher Art und Weise und Betonung der einzelnen Aspekte.

Dantian (Tan Tian): Bezeichnung für drei Energiezentren im Körper (Oberes D. im Kopf, Mittleres D. hinter dem Brustbein, Unteres D. unterhalb des Bauchnabels im Körperinneren; wenn *nicht genauer* angegeben, handelt es sich um das Untere Dantian (in einigen Schulen auch Mittleres Dantian genannt).

Dao (Tao): Begriff aus der chinesischen Philosophie, der als Benennung für die Kraft steht, die hinter den Dingen wirkt. Dao bezeichnet die übergeordnete Gesetzmäßigkeit und Ordnung des Universums.

Daoismus (Taoismus): Begriff für die vielen verschiedenen Strömungen daoistischer Lebensphilosophien und -religionen; Gegenpart zum Konfuzianismus.

Fu: Die sogenannten »Hohlorgane«, nämlich Gallenblase, Dünndarm, Magen, Dickdarm, Blase und der Dreifache Erwärmer.

Fünf Wandlungsphasen (Fünf Elemente, Wu Xing): Lehre von den zyklischen Prozessen in der Natur, denen auch der Mensch unterworfen ist.

Huangdi Neijing: »Der Klassiker des Gelben Kaisers zur Inneren Medizin« ist eines der heute noch gebräuchlichen Grundlagenwerke der

Chinesischen Medizin. Es enthält die erste systematische Zusammenfassung der Heilkunde der Chinesen.

Jin Ye: Der chinesische Begriff für Körperflüssigkeiten.

Jing: Bezeichnung für die grundlegende (sexuelle) Energie im Körper, oft als Essenz übersetzt.

Konfuzius: Begründer des Konfuzianismus, eine der großen philosophischen Strömungen in China.

Laogong: Akupunkturpunkt in der Mitte der Handfläche; spielt bei der Massage und im Qigong eine bedeutende Rolle.

Laozi (Laotzu, Laotse): Laozi gilt gemeinhin als Begründer des Daoismus; in seinem bekanntesten Werk, dem »Daodejing«, legt er die Wichtigkeit der individuellen Selbstbesinnung und die Anpassung an das Dao dar.

Leitbahnen (Meridiane, Jing Luo): Die Transportwege, auf denen das Qi durch den Körper fließt.

Mingmen: Wichtiges Energiezentrum welches zwischen dem zweiten und dritten Lendenwirbel liegt; wird oft auch als das Hintere Dantian bezeichnet.

Moxibustion: Wärmetherapie mit Moxakraut (Beifuß).

Shen: Der geistige, seelische Aspekt des Menschen; er gehört zu den »3 Schätzen« (Jing, Qi und Shen).

Taijiquan (T'ai Chi Ch'uan, Chinesisches Schattenboxen): Ursprünglich eine » Innere Kampfkunst« wie das Bagua und das Hsing I; bei der Qi und nicht, wie bei den »Äußeren Kampfkünsten«, die Muskeln trainiert werden. Taijiquan wird heute überwiegend unter dem Gesundheitsaspekt betrieben.

TCM: Abkürzung für Traditionelle Chinesische Medizin.

Xue: Der chinesische Begriff für Blut.

Yi Jing (I Ging): Das »Buch der Wandlungen« gilt als eines der ältesten Bücher der Welt. Darstellung der beiden Urkräfte Yin und Yang und ihre verschiedenen Wandlungen; wird oft auch als Weisheits- und Orakelbuch benutzt.

Yin/Yang: Modell zur Darstellung allen Lebens im Kosmos. Yin verkörpert z.B. das Weiche, Weibliche, nach innen Gerichtete im Gegensatz zum Yang, das z.B. für das harte, das Männliche und nach außen Gerichtetete steht. Yin/Yang sind Beschreibungsmöglichkeiten für bestimmte Beziehungen von Dingen zueinander, aber sie sind nicht die Dinge, die Realität selbst.

Yintang: Energiezentrum in der Mitte der beiden Augenbrauen; oft als das »3.Auge« oder »Oberes Dantian« bezeichnet.

Yongquan: Energiepunkt unter der Fußsohle, zwischen den beiden Fußballen; 1. Punkt der Nierenleitbahn.

Zang: Bezeichnung für die »Speicherorgane« Leber, Herz, Milz, Lunge, Niere und Perikard (Herzbeutel). Die Lehre der Zang Fu dient der Darstellung der physiologischen Abläufe im menschlichen Körper aus der Sicht der Chinesischen Medizin.

Kommentierte Literatur / Bibliographie

Ich habe die Bücher, die ich Ihnen zur weiteren Vertiefung empfehlen kann, kurz beschrieben. Somit haben Sie eine kleine Hilfe bezüglich der Literaturauswahl, die Sie speziell interessiert.

Chinesische Medizin

Connelly, Dianne M.: *Traditionelle Akupunktur: Das Gesetz der Fünf Elemente,* Endrich, Heidelberg 1987
  Die Autorin beschreibt ausführlich und leicht nachvollziehbar die »Fünf Phasen« in der chinesischen Medizin und verdeutlicht an vielen Beispielen ihre praktische Nutzbarkeit. Ein sehr schön lesbares Buch über die praktische Anwendung der Fünf-Phasen-Lehre.
Eckert, Achim: *Das Tao der Medizin,* Haug, Heidelberg 1996
ders.: *Das heilende Tao*, Bauer, Freiburg 1989
  Der Autor erläutert umfassend die einzelnen Komponenten der Wandlungsphasen und verbindet diese Darstellung mit praktischen Übungen zum besseren Verständnis.
Hempen, C.-H.: *Die Medizin der Chinesen,* Goldmann, München 1988
ders.: *dtv-Atlas zur Akupunktur,* dtv, München 1995
Kaptchuk, Ted J.: Das große Buch der Chinesischen Medizin; Heyne, München 1983
Lorenzen, Udo u. Noll, Andreas: Die Wandlungsphasen der TCM – Band 3: *Wandlungsphase Erde,* Müller & Steinicke, München 1996
Maciocia; Giovanni: *Die Grundlagen der Chinesischen Medizin*, Verlag für TCM, Kötzting 1994
ders.: *Zungendiagnose in der chinesischen Medizin*, ML-Verlag, Uelzen 1996
Porkert, Prof. Dr. Manfred: *Die chinesische Medizin,* Econ, Düsseldorf 1989
ders.: *Neues Lehrbuch der chinesischen Diagnostik,* Dinkelscherben 1993
Ross, J.: *Zang Fu - Die Organsysteme der TCM,* ML, Uelzen 1992

Schmidt, Wolfgang G.A.: *Der Klassiker des Gelben Kaisers zur Inneren Medizin*, Herder, Freiburg 1993

Stiefvater; E.W.: *Die Organuhr*, Haug, Ulm 1993

Worsley, J. R.: *Was ist Akupunktur?*, Plejaden, Boltersen 1986

ders.: *Akupunktur - Heilung für Dich*, Ryvellus, München 1985

> Dieses Buch zeigt deutlich das tiefe Verständnis des Autors in die Konzepte und Theorien der CM. Er versteht es brilliant und witzig, dem Leser die praktische Umsetzbarkeit dieser Heilkunst, gerade in der heutigen Zeit, zu erläutern.

Qigong

Bölts, Johann: *Qigong – Heilung mit Energie,* Herder, Freiburg 1994

Frantzis, Master Bruce Kumar: *Qi Gong – Wege zu den Energiequellen des Körpers*, Rowohlt, Reinbek 1995

Guorui; Jiao: *Qigong Yangsheng, ML-Verlag,* Uelzen 1989

Requena, Ives: *Qi Gong,* Goldmann, München 1992

Schillings, Astrid und Hinterthür, P.: *Qi Gong – Der Fliegende Kranich*, Windpferd, Durach 1989

Stuhlmacher, J.: *Erste Schritte im Qigong,* Haug, Heidelberg 1996

> Eine leicht verständliche Einführung in die chinesische Heilgymnastik Qigong; der Autor erläutert die grundlegenden Prinzipien und Wirkungsweisen. Praktische Übungen ergänzen die Erklärungen und sollen zu einem eigenen Übungsweg des Qigong hinführen.

ders.: *Medizinisches Qigong in »Qigong in der Praxis«,* Universität Oldenburg, Oldenburg 1997

Zöller, Dr. med. J.: *Das Tao der Selbstheilung,* Ullstein, Frankfurt / Berlin 1989

> Eines der ersten Bücher in deutscher Sprache, das umfassend und verständlich in das Qigong einführt. Die Beschreibungen verschiedener Übungsreihen geben einen Überblick über die Vielfalt des Qigong, sind jedoch nicht zum Selbststudium gedacht und geeignet.

Massage

Hin, Dr. Kuan: *Chinesische Massage und Akupressur*, Rowohlt, Reinbek 1993

> Ein kleines Buch als Anleitung zur Selbsthilfe. Grundlegende Theorien werden erklärt und viele praktische Anregungen zur Massage gegeben. Leider manchmal zu symptomatisch.

Yang, Dr. Jwing-Ming: *Chinese Qigong Massage,* YMAA Publication Center, USA 1994

Ernährung

Flaws, Dr. med. Bob und Wolfe, H. Lee: *Das Yin und Yang der Ernährung,* Otto Wilhelm Barth Verlag, München 1992

Heinen, Martha P.: *Kochen und leben mit den Fünf Elementen*, Windpferd, Aitrang 1994

Ein sehr schönes und liebevolles Buch über die »Fünf-Elemente-Ernährung«. Viele Rezepte und viele kleine Übungen und Beispiele runden die Theorie dieser Art der gesunden Ernährung ab.

Temelie, Barbara: *Ernährung nach den Fünf Elementen*, Joy Verlag, Sulzberg 1992

dies.: *Ernährung für Mutter und Kind,* Joy Verlag, Sulzberg 1994

Ein wirklich umfassendes Buch über die chinesische Ernährung für Mütter und Kinder. Die Autorin zeigt sehr kritisch auch die Folgen unserer hier bekannten Ernährungsformen auf und öffnet die Augen für eine weitgehende Sichtweise der Wichtigkeit einer gesunden Ernährung, gerade für Kinder.

Philosophie

Brodde, August: *I Ging,* WBV, Schorndorf 1985

Walf, Knut: *Tao für den Westen*, Kösel, München 1989

Eine schöne Einführung in chinesische Denkstrukturen und eine erste Auseinandersetzung für Laien mit den zentralen Begriffen der chinesischen Philosophie.

Laozi: *Tao Te Ching*; Theseus, Berlin 1995

Wilhelm, Richard: *I Ging*; Diederichs, Köln 1985

Taijiquan

Chen, Master William C. C.: *Körpermechanik des Tai Chi Chuan*, Eigenverlag, USA 1990

Cheng; Man-ch'ing: *Dreizehn Kapitel zu T'ai Chi Ch'uan,* Sphinx, Basel 1988

Oster, Yürgen: *Tai Ji Quan – Das Dao der Bewegung,* Haug, Heidelberg 1997

In diesem Buch sind keine »Formen« des Taijiquan zu finden. Vielmehr ist der Autor um eine Gesamtdarstellung des Taiji bemüht. So finden die Leser neben der Geschichte des Taiji viele Informationen und Anregungen zur Philosophie und zur allgemeinen Haltung im Taiji. Sehr lehrreich sind die Klassischen Texte mit entsprechenden Kommentaren zur Erläuterung der Lebenskunst Taiji.

Lowenthal, Wolfe: *Es gibt keine Geheimnisse,* Kolibri, Hamburg 1993

Adressen und Bezugsquellen

Wenn Sie die Adresse des Autors sowie Informationen über seine Seminare wünschen, wenden Sie sich bitte mit einem adressierten und frankierten Rückumschlag an den Leserservice des Windpferd-Verlages. Dort liegt außerdem eine Liste mit Berufsverbänden, Kliniken und anderen Institutionen, die Ihnen bei der Suche nach weiteren Informationen über die Chinesische Medizin bzw. über Behandlungsmöglichkeiten in Ihrer Nähe weiterhelfen können, für Sie bereit.

Vielleicht denken Sie, es wäre einfacher, die Adressen einfach an dieser Stelle abzudrucken, damit sie sogleich parat sind. Zwei Gründe sprechen jedoch dagegen:

Wir möchten in der Lage sein, jederzeit neue Informationen in die Liste aufzunehmen, es ändern sich immer wieder Anschriften und Telefonnummern, und diesen Ärger wollen wir Ihnen ersparen.

Deshalb: Schreiben (!) Sie, wann immer Sie aktuelle Informationen wünschen, an die folgende Adresse:

Windpferd Verlag
Stichwort: »Das große Handbuch
der chinesischen Naturheilkunde«
Postfach
87648 Aitrang

Wenn Sie Informationen über weitere Titel oder über Neuerscheinungen möchten, dann surfen Sie im Internet und schauen sich unter **http://www.windpferd.com** um. Hier können Sie darüber hinaus das gesamte Windpferd-Programm kennenlernen.